도형 학습의 기준

# 플라토

# PLATO

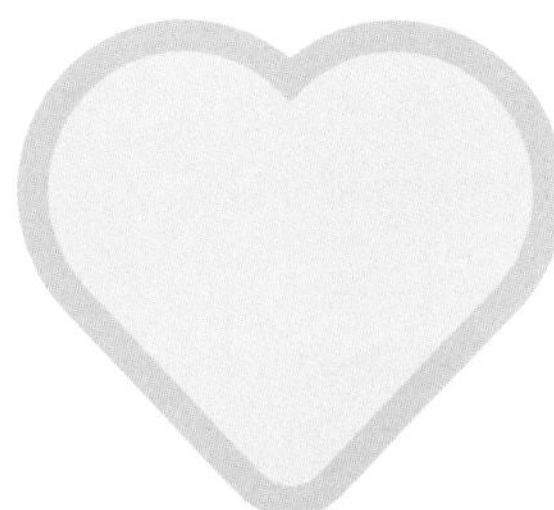

# E3

입체설계 | 초5

사고가 자라는 수학
씨투엠

PLATO

# 플라토가 제안하는 도형 학습법

도형 학습지 플라토를 처음 기획하던 때의 기억이 선명하네요. 처음에는 아이들에게 그다지 필요하지 않을 거라 생각해서 소수의 학원에서만 풀리는 교재로 생각했는데 교재가 모양을 갖추어가자 점점 모든 아이들이 즐겁게 도형을 풀 수 있는 책이 만들어질 거라는 확신이 들었지요.

처음 교재를 쓰면서 놓치지 않고 싶었던 콘셉트는 딱 이거였어요.
"쉽고! 가볍게!"
쉬운 교재를 쓴다는 것이 결코 쉽지 않았답니다. 쓰다 보면 어느새 높은 수준의 공간 감각을 요구하는 어려운 문제가 막 튀어나오고 난리도 아니었지요. 그럴 때마다 '아니야, 이 책은 정말 쉽고 가벼워야 해. 아이들이 술술 풀 수 있는 학습지여야 한다고!' 하며 다시 마음을 다잡고 어려운 문제를 빼고 다시 쓰기를 반복했답니다.

우여곡절 끝에 나온 '플라토'를 지난 6년 정도의 시간 동안 정말 깜짝 놀랄 만큼 많은 아이들이 선택하여 풀게 되었지요. 처음 생각했던 가볍고 쉬운 도형 학습지라는 콘셉트가 많은 부모와 아이들에게 받아들여졌다는 사실이 저자로서 무척이나 기쁘고 정말 뿌듯하답니다. 플라토가 단순히 도형을 체계적으로 학습하기 위한 학습지라는 개념을 넘어, 아이들이 도형, 더 나아가 수학에 대한 자신감을 가질 수 있게 하는 수학 학습의 시작점이 되었다는 사실이 무엇보다 자랑스럽습니다.

아이들을 위한 수학책을 집필하면서 수학 때문에 힘들어하는 아이들에게 또 하나의 짐을 더 지워주는 것이 아닌가 하는 걱정이 있었어요. 도형 학습지 플라토가 초등 도형 학습이라는 새로운 영역을 개척하며 점점 성장하는 것과 함께 어쩌면 도형도 따로 공부해야 한다는 또 다른 짐이 되어버린 것 같아 아쉽기도 했지요. 하지만 지난 몇 년간 플라토를 푼 많은 아이들이 올려준 후기를 보면서 저희의 걱정이 지나쳤다는 확신이 생겼답니다. 플라토를 푼 아이들, 플라토로 수학을 시작한 아이들은 수학이 괴롭고 힘들다는 인식 대신, 수학을 가볍고 부담 없고 만만한 것으로 받아들이게 되는 과정을 몸소 보여주었어요. 이것은 저희가 처음에 플라토를 기획했던 때에 기대했던 반응과 효과를 넘어선 정말 커다란 수학 학습의 변화라고 자평한답니다.

많은 사랑을 받았던 플라토가 이제, 플라토를 접한 이들의 소중한 피드백과 함께 새로운 개정판으로 다시 태어났어요. 원래 플라토가 가지고 있던 장점은 그대로 가진 채, 좀 더 예뻐지고, 좀 더 친절해지고, 좀 더 풍성해진 모습으로 다시 한번 아이들에게 다가가려 합니다. 이러한 작은 변화가 아무쪼록 여전히 수학, 그리고 도형으로 고민하는 많은 부모와 아이들에게 기쁜 소식이 되었으면 해요.

새로운 플라토, 잘 부탁드리고, 또 많은 관심과 의견 보내주시면 정말 고마울 거예요.

2022년 지식과상상연구소 드림

# 도형학습, 자주 묻는 질문과 답변

**질문 1 도형 학습 반드시 필요할까요? 또는 어떤 아이들에게 필요할까요?**

도형 영역의 성취도가 다른 영역에 비해 확연하게 높은 아이들과 선천적으로 공감 감각이 뛰어난 친구에게는 필요하지 않겠지요. 그러나 초등학교의 도형 학습은 단원 간 시간 간격이 상당히 크기 때문에 아이들이 도형의 기본 개념을 연계하여 학습하지 못하는 어려움이 있고, 이러한 어려움이 누적되면 훨씬 어려운 중학교 도형 영역에서 힘들어하는 경우가 많답니다. 이 때문에 좀 더 도형을 체계적으로 꾸준하게 하고 싶다는 아이들에게는 반드시 추천합니다.

특히 도형을 어려워하거나 싫어하는 친구들에게 플라토는 특효약이 될 수도 있다는 점 잊지 마세요.

**질문 2 도형 학습은 교구가 반드시 필요한가요?**

영유아기에 도형 교구를 다루어 본 아이들과 그렇지 않은 아이들은 초등 단계에서 유의미한 도형 학습의 성취도 차이를 보이기는 합니다. 그러므로 3세~7세의 아이들에게 도형 교구를 노출시켜주어야 한다고 생각해요. 유아 단계에서는 놀이를 중심으로 한 교구 학습을 추천하고, 플라토를 시작하고 진행하는 단계에서는 교구를 도형 학습의 보조 도구로 활용하는 것이 좋을 것 같습니다. 예를 들어 플라토를 풀다가 거울에 비친 모양을 어려워한다면 거울 교구를, 칠교를 어려워한다면 칠교 교구를 직접 만지면서 문제를 푸는 것이 학습 효과를 높일 수 있지요. 플라토 개정판에서는 연관 교구를 표시해 두었고, 일부 교구재를 교재와 함께 제공하고 있습니다.

**질문 3 반드시 추천하는 도형 교구가 있나요?**

반드시 필요한 도형 교구라면 교과서에 등장하는 도형 교구라고 생각해요. 패턴블록, 거울(리플렉터), 칠교, 펜토미노, 쌓기나무, 입체 모형, 지오보드 등이 교과서에 빠지지 않고 등장하는 교구이지요. 이러한 교구를 한 번에 묶어서 구성해 놓은 것이 플라토 주머니랍니다. 필요하신 분은 검색해 보세요!

**질문 4 아이가 플라토를 너무 빨리 풀어요. 어떻게 해야 할까요?**

입문 단계의 플라토는 정말 쉽게 만들었기 때문에 어떤 아이들은 한 달 분량의 교재를 1주일이나 빠르게는 2~3일 만에 풀곤 한답니다. 아이가 학습지를 스스로의 의지로 빨리 풀어낸다는 것은 좋은 일이지요. 칭찬해 주어야 마땅합니다. 6세~2학년 정도까지는 도형 학습에 있어 좀 더 윗 단계를 푸는 것도 크게 어렵지 않습니다. 그래서 아이 연령에서 2단계~3단계 위까지는 아이가 속도감 있게 풀면서 쭉 나가주어도 괜찮아요. 그러다가 아이들이 학교에서 배워야만 풀 수 있는 주제가 나올 때 잠시 멈추고 연산/사고력 문제집을 풀게 하는 것이 좋습니다. 윗 단계의 도형 학습을 수월하게 진행하려면 연산 학습과 사고력 학습도 같이 진행하는 것이 좋기 때문입니다.

**질문 5 플라토만으로 도형 학습을 다 했다고 할 수 있을까요? 너무 쉬운 문제만 푸는 게 아닐까 불안해요.**

플라토는 분명 쉬운 교재이지만 초등 수학 수준에 필요한 난이도의 도형 문항은 모두 수록되어 있답니다. 하지만 아이들에 따라 도형 학습에 재미를 붙이는 단계에서 좀 더 수준 높은 문제로 공간 감각과 사고력을 키우고 싶을 수도 있지요. 이런 경우 사고력수학 교재의 도형 영역으로 좀 더 심화된 학습을 하는 것을 추천합니다. 또한 우리 플라토도 좀 더 확장된 도형 학습을 필요로 하는 아이들을 위한 심화 교재를 준비하고 있으니 기대해주세요!

# 플라토 전체 커리

| 교재 | | S(6세) | P(7세) | A(초등학교 1학년) |
|---|---|---|---|---|
| 1권 평면규칙 | 1주차 | 점과 선 | 도형 그리기 | 점과 선의 수 |
| | 2주차 | 똑같은 모양 | 같은 도형 | 여러 가지 도형 |
| | 3주차 | 도형 세기 | 도형 세기 | 도형 세기 |
| | 4주차 | 도형 규칙 | 도형 규칙 | 도형 규칙 |
| 2권 도형조작 | 1주차 | 길이 비교 | 같은 길이 | 넓이 비교 |
| | 2주차 | 모양 붙이기 | 세모 붙이기 | 패턴블록 |
| | 3주차 | 모양 자르기 | 네모 붙이기 | 도형 돌리기 |
| | 4주차 | 거울과 위치 | 거울에 비친 도형 | 모양 만들기 |
| 3권 입체설계 | 1주차 | 입체 모양 관찰 | 입체도형 관찰 | 입체도형 연구 |
| | 2주차 | 블록 모양 만들기 | 블록 모양 만들기 | 여러 가지 입체 |
| | 3주차 | 쌓기나무 | 쌓기나무 | 쌓기나무 세기 |
| | 4주차 | 입체도형 세기 | 층층 쌓기 | 입체도형 추리 |
| 4권 공간지각 | 1주차 | 잘라내기 | 구멍난 종이 | 구멍난 종이 |
| | 2주차 | 종이 접기 | 종이 접기 | 접고 잘라내기 |
| | 3주차 | 투명 종이 겹치기 | 여러 방향 관찰 | 여러 방향 관찰 |
| | 4주차 | 모양 겹치기 | 도형 겹치기 | 겹친 실루엣 |

| B(초등학교 2학년) | C(초등학교 3학년) | D(초등학교 4학년) | E(초등학교 5학년) | F(초등학교 6학년) |
|---|---|---|---|---|
| 원과 다각형 | 직선과 각 | 각도기와 각 | 다각형의 둘레 | 원주와 원주율 |
| 도형 그리기 | 직각이 있는 도형 | 삼각형 | 합동 | 원을 이용한 길이 |
| 도형 세기 | 도형 그리기 | 수직과 평행 | 선대칭 | 원의 넓이 |
| 점판 그리기 | 패턴 무늬 | 다각형 | 점대칭 | 원을 이용한 넓이 |
| 길이 재기 | 밀기와 뒤집기 | 도형의 각 | 직사각형의 넓이 | 직육면체의 겉넓이 |
| 칠교판 | 돌리기 | 삼각형의 성질 | 평행사변형, 삼각형의 넓이 | 직육면체의 부피(1) |
| 길이의 합과 차 | 도형의 이동 | 사각형의 성질 | 사다리꼴, 마름모의 넓이 | 직육면체의 부피(2) |
| 모양 만들기 | 원과 길이 | 선 긋기와 각 | 다각형의 넓이 | 원기둥의 겉넓이와 부피 |
| 입체도형 연구 | 쌓기나무 그리기 | 입체 찍기 | 직육면체 | 각기둥 |
| 본뜬 모양 | 쌓기나무 세기 | 입체도형 포장 | 직육면체의 전개도 | 각뿔 |
| 쌓기나무 발자국 | 입체의 부피 | 쌓기나무 포장 | 전개도 그리기 | 전개도 |
| 쌓기나무 세기 | 큐브 블록 | 포장 종이 잇기 | 전개도와 대각선 | 원기둥, 원뿔, 구 |
| 색종이 공예 | 색종이 공예 | 점의 이동 | 점의 이동 | 쌓기나무의 수 |
| 여러 방향 쌓기 | 구멍난 종이 | 모양과 점의 이동 | 모양과 점의 이동 | 위, 앞, 옆 모양 |
| 투명 종이 겹치기 | 여러 방향 관찰 | 같은 모양, 다른 모양 | 주사위 | 위, 앞, 옆과 수 |
| 그림자 추리 | 색종이 겹치기 | 정다각형을 붙인 모양 | 뚜껑이 없는 상자 | 큐브 연결 |

# 이 책의 목차

# 1 주차

## 직육면체

# 직육면체

직육면체가 아닌 것에 ╳표 하시오.

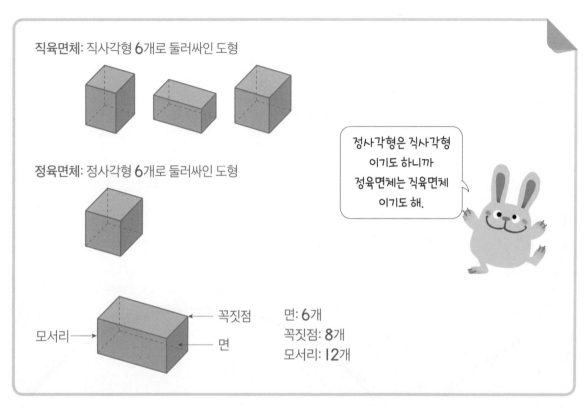

**직육면체**: 직사각형 6개로 둘러싸인 도형

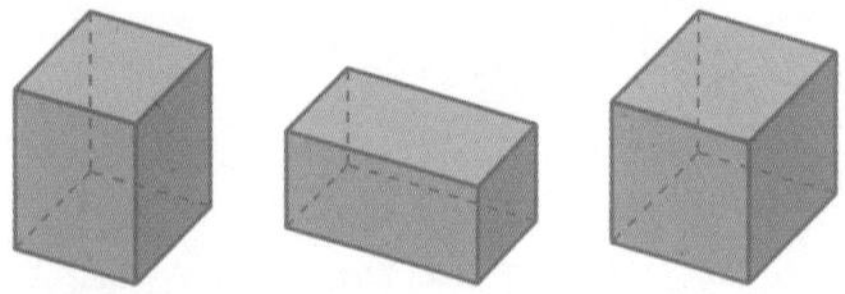

**정육면체**: 정사각형 6개로 둘러싸인 도형

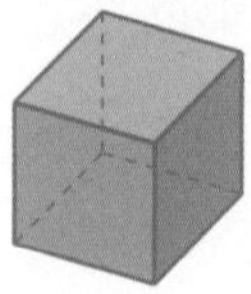

정사각형은 직사각형
이기도 하니까
정육면체는 직육면체
이기도 해.


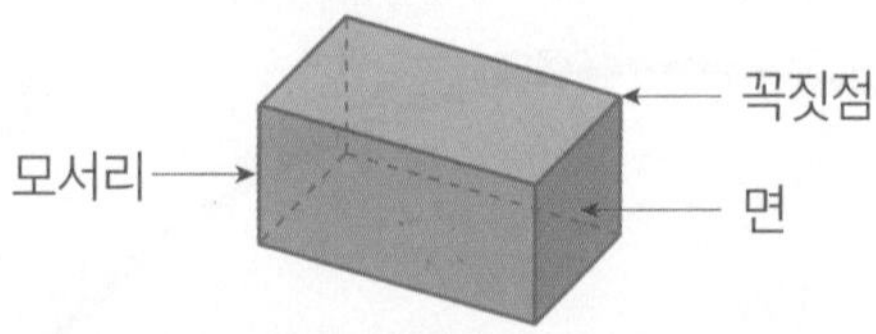


면: 6개
꼭짓점: 8개
모서리: 12개

**1**

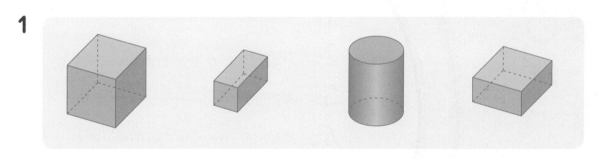

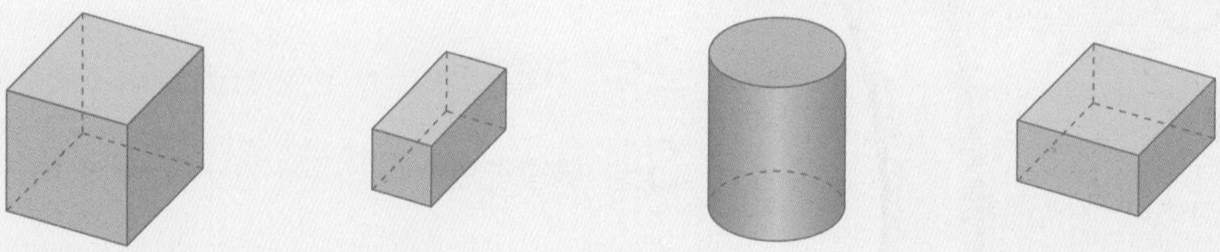

**2**

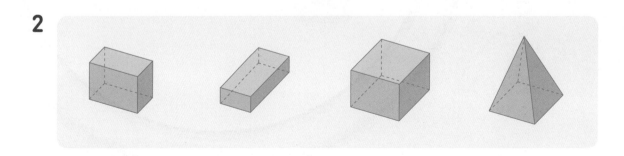

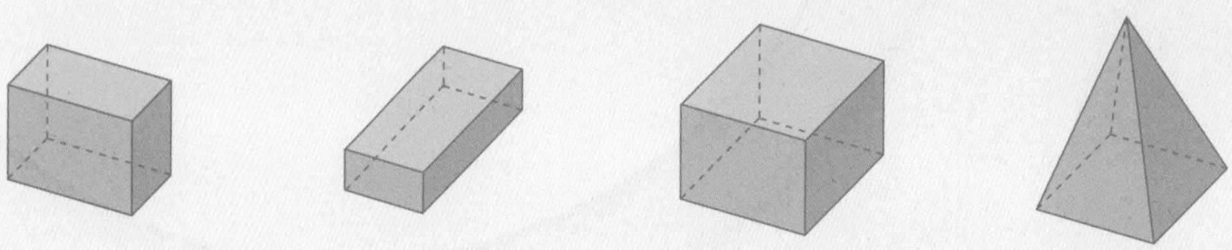

3

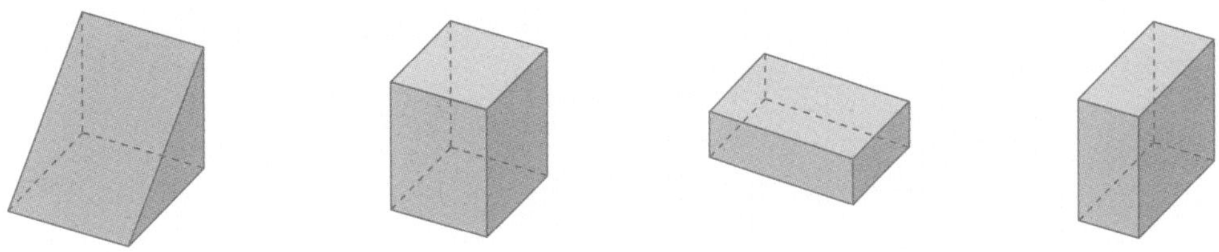

4

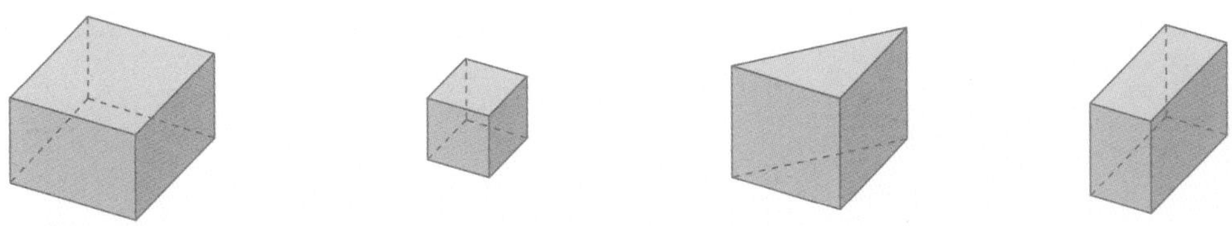

5

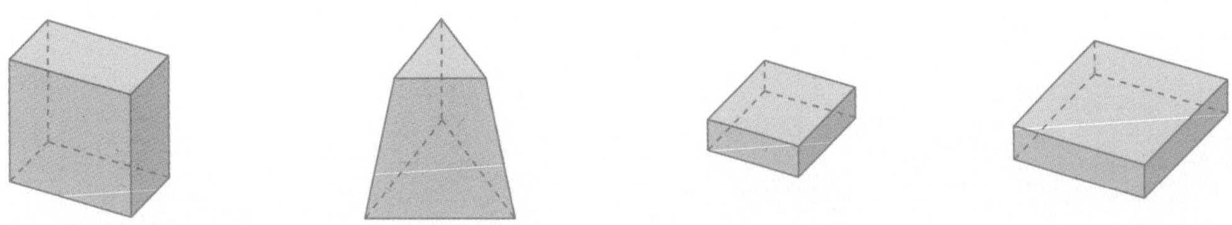

6

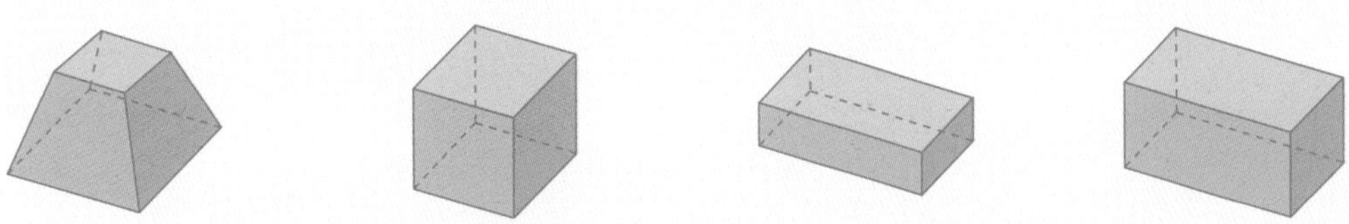

# 2일 겨냥도

빠진 부분에 실선 또는 점선을 그어 겨냥도를 완성하시오.

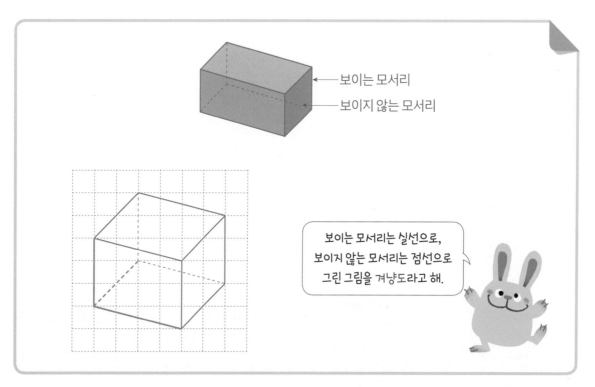

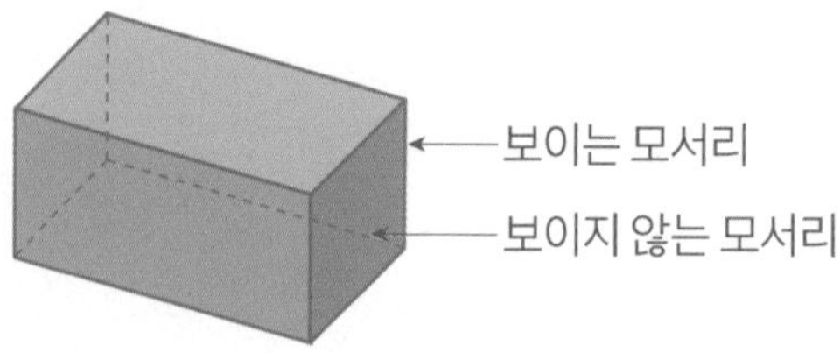


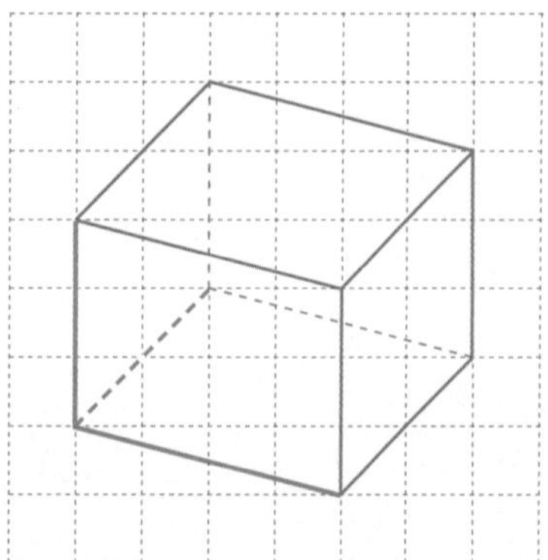

보이는 모서리는 실선으로,
보이지 않는 모서리는 점선으로
그린 그림을 겨냥도라고 해.


**1**

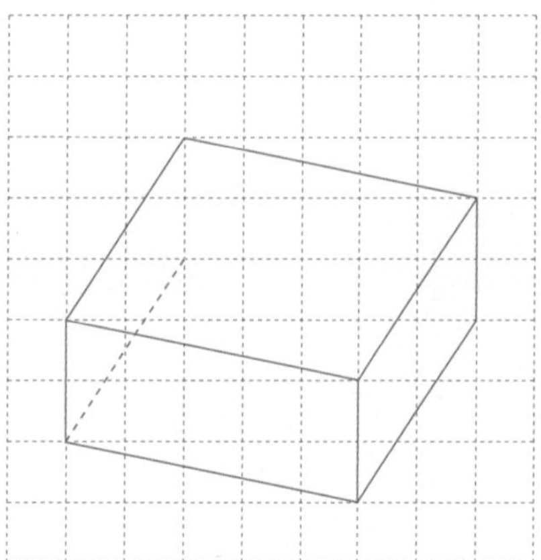

**2**

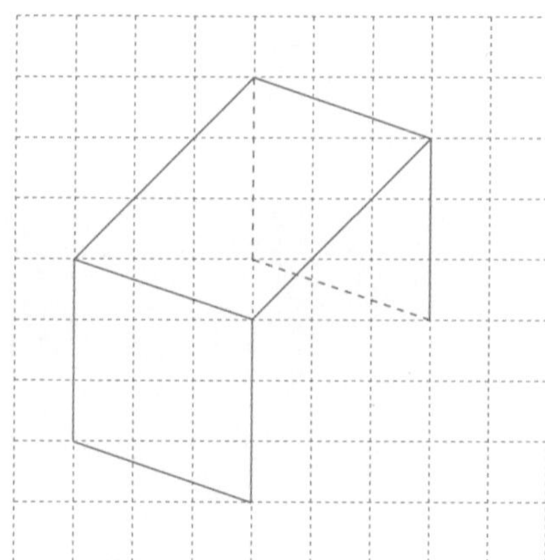

**3**

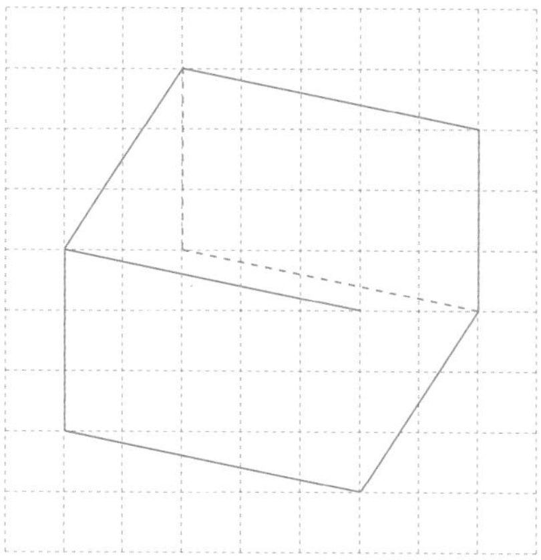

**4**

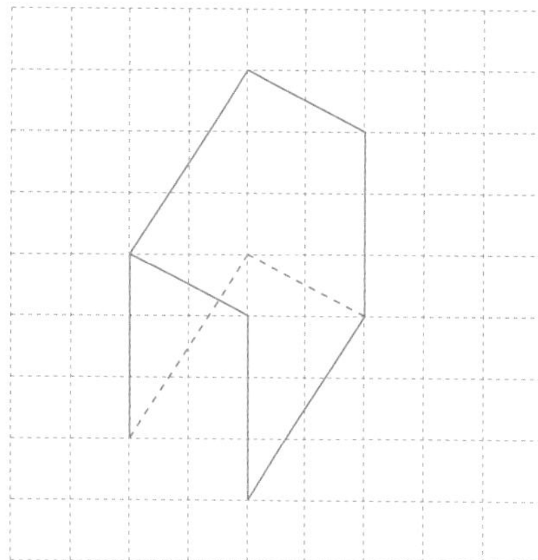

**5**

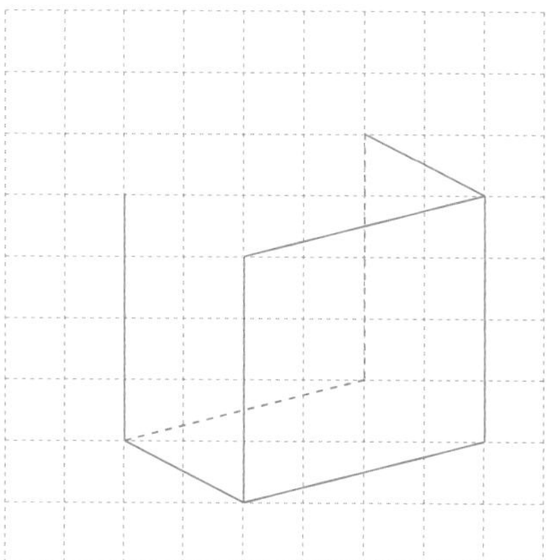

**6**

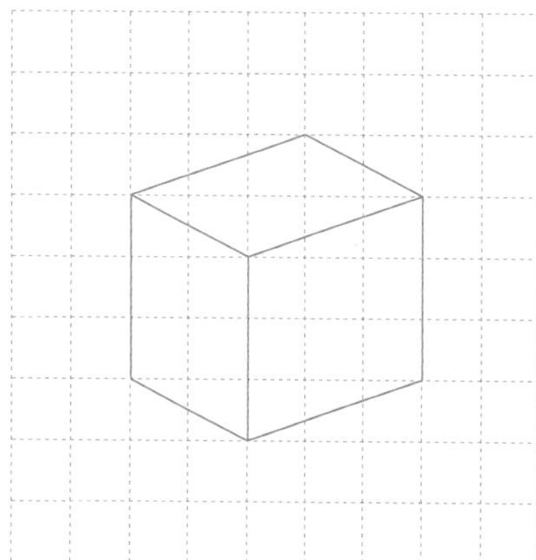

**7**

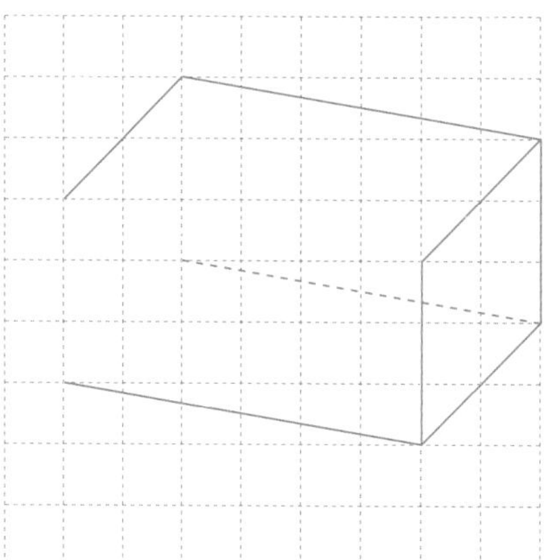

**8**

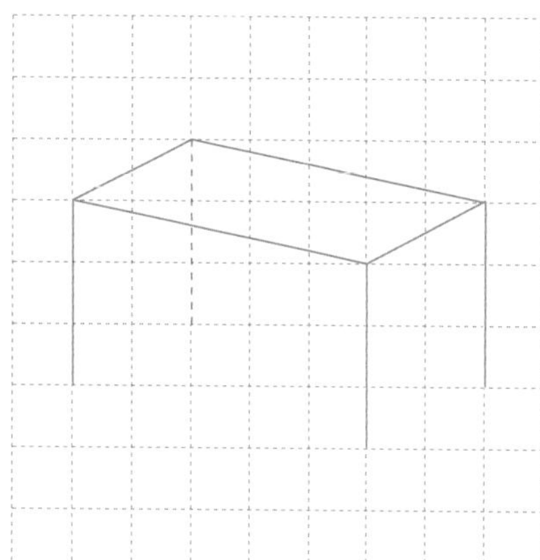

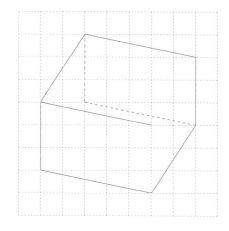

# 3일 평행한 면

✎ 색칠한 면과 평행한 면에 색칠하시오.

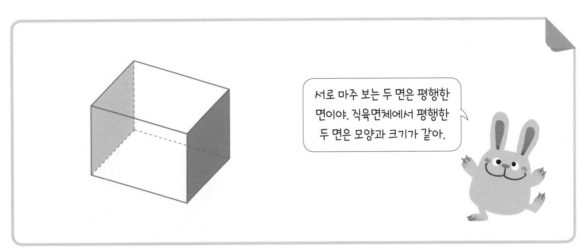

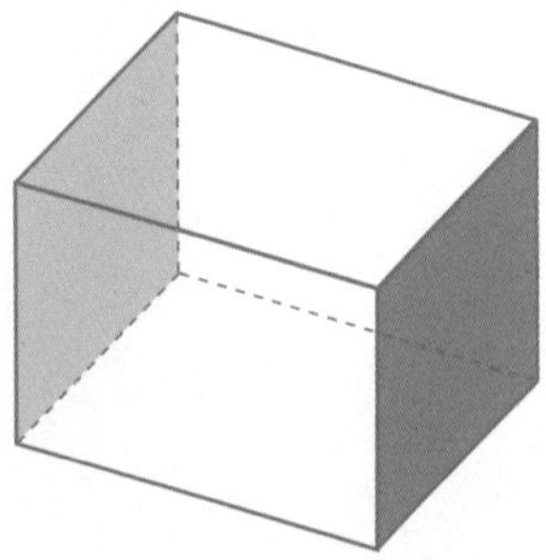

서로 마주 보는 두 면은 평행한
면이야. 직육면체에서 평행한
두 면은 모양과 크기가 같아.


1

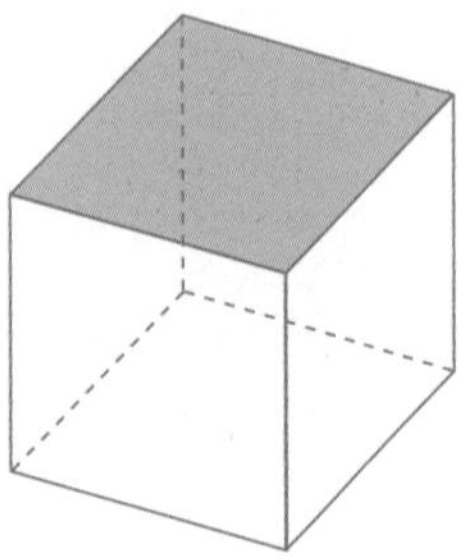

2

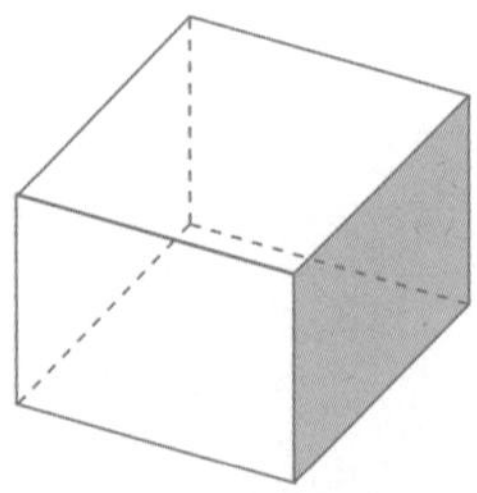

3

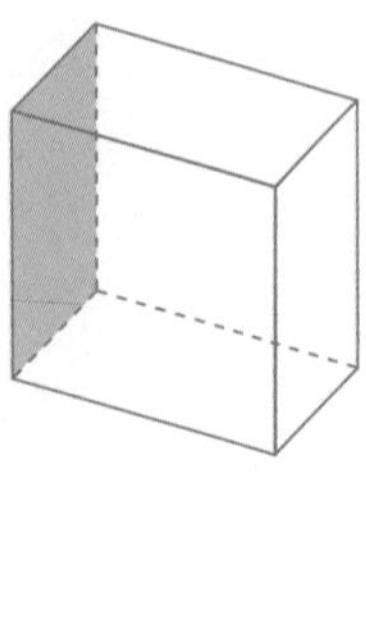

4

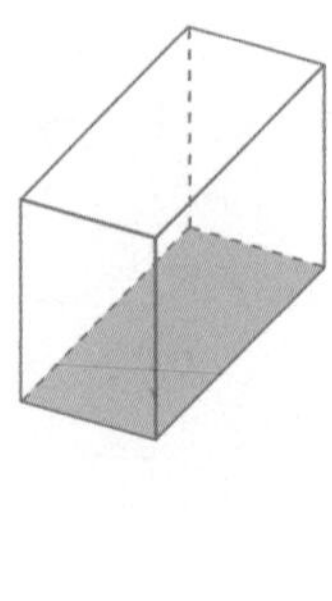

5

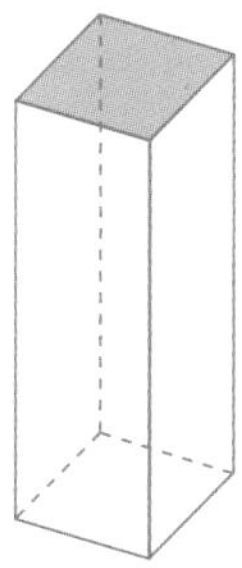

6

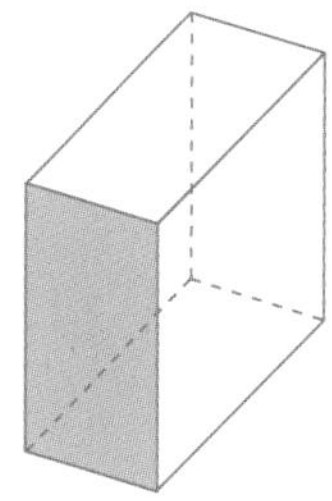

7

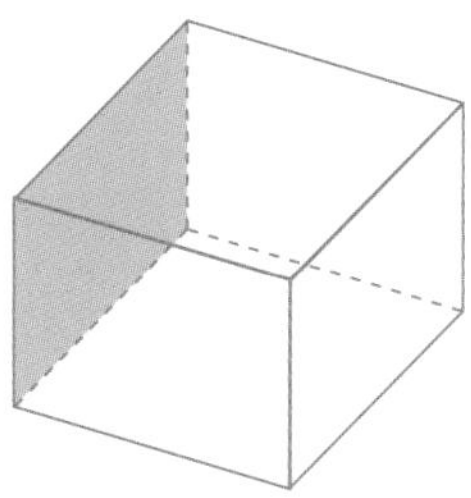

8

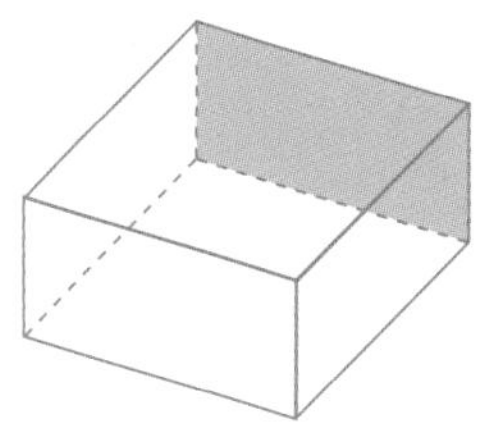

9

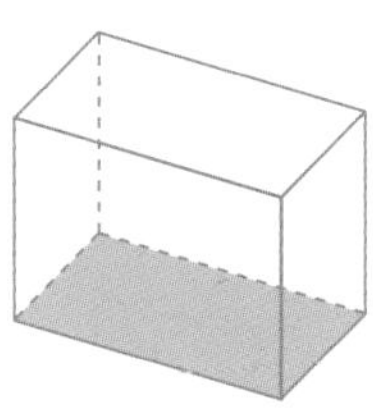

10

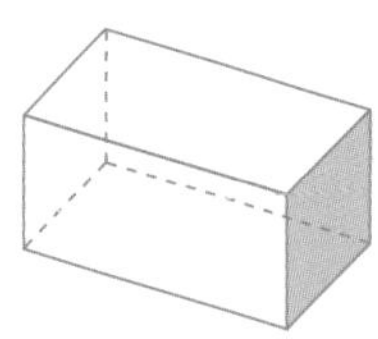

# 4일 수직인 면

색칠한 면과 수직인 면이 아닌 것에 ╳표 하시오.

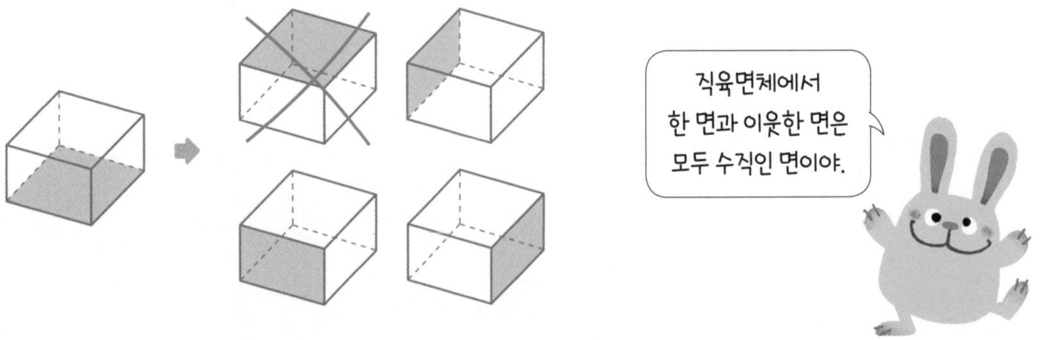

직육면체에서
한 면과 이웃한 면은
모두 수직인 면이야.


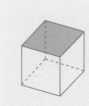

**1**

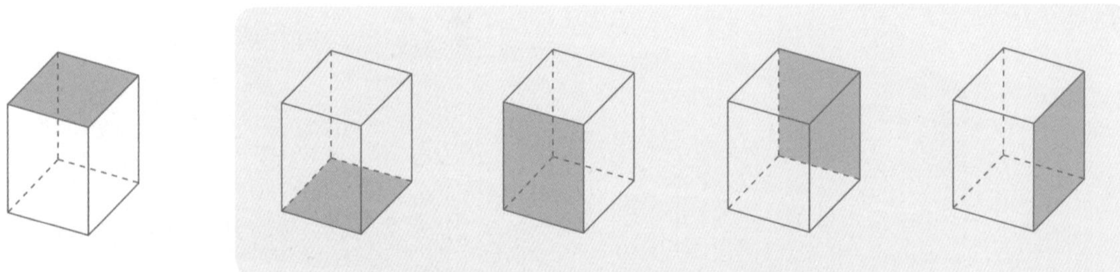

**2**

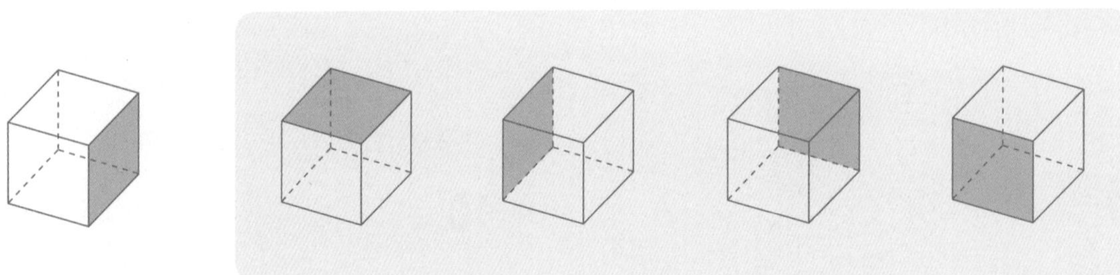

**3**

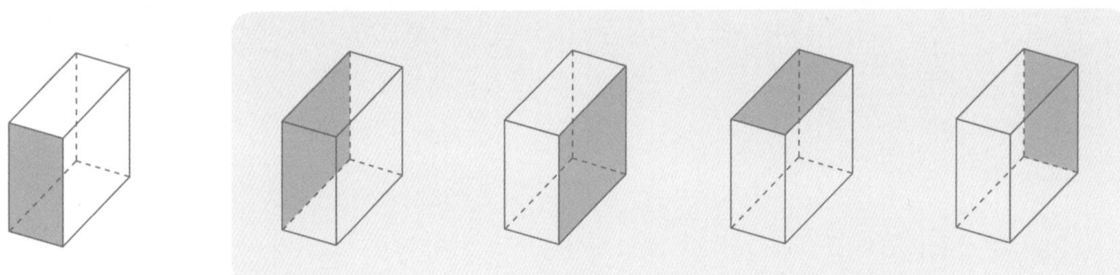

4

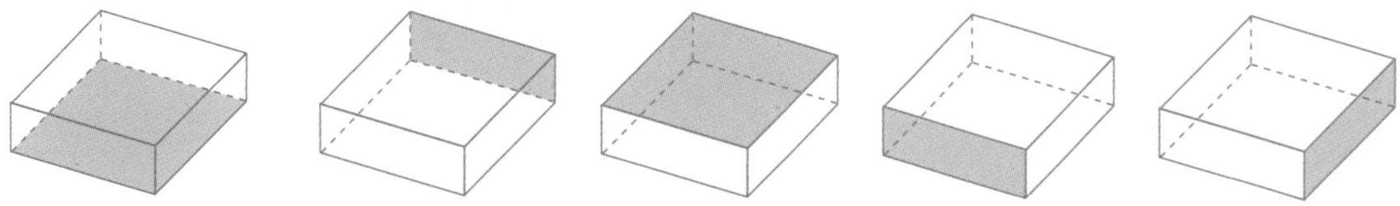

5

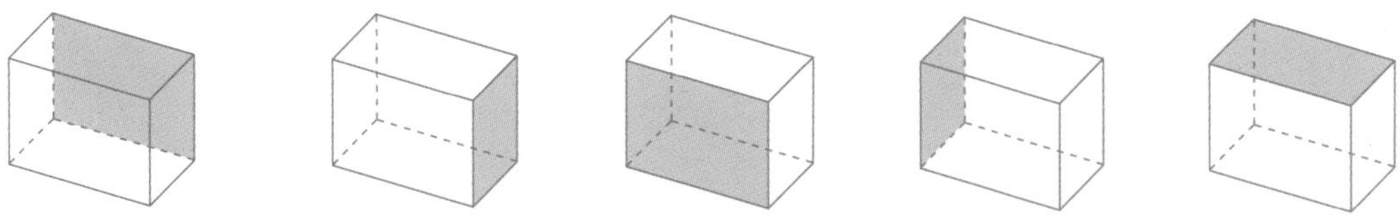

6

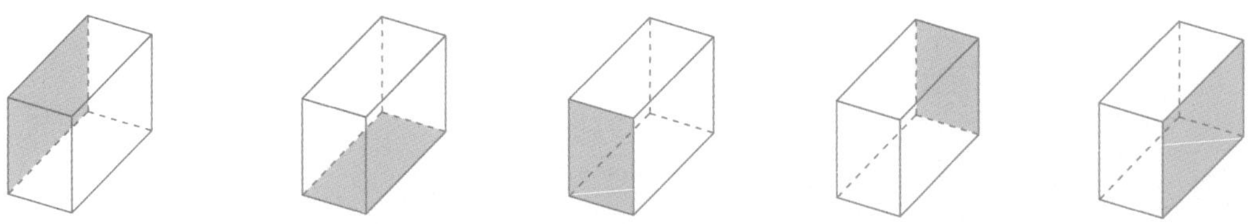

7

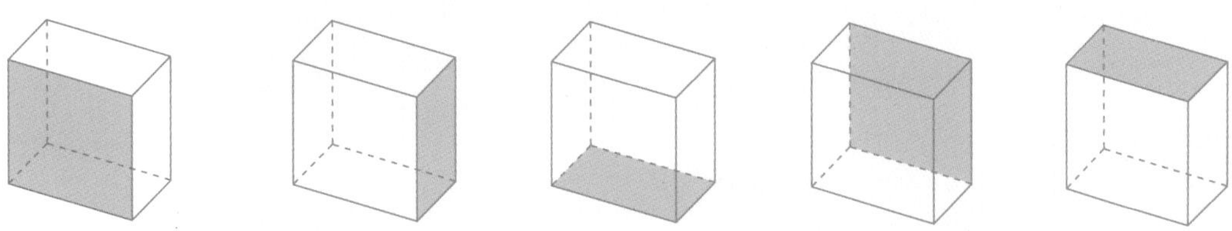

# 5일 직육면체 펼치기

전개도를 접었을 때 평행한 면끼리 같은 모양으로 표시해 보시오.

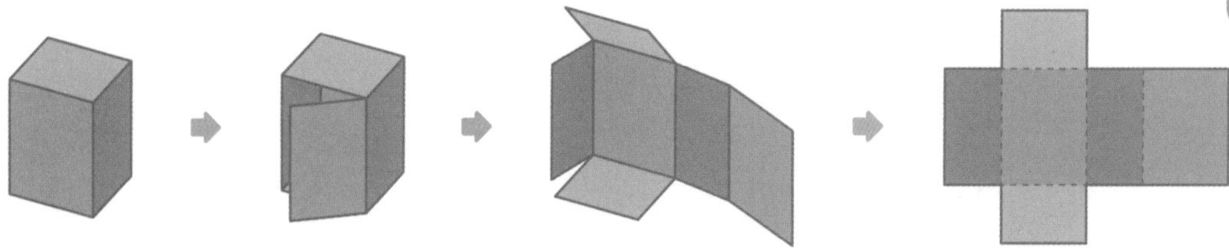

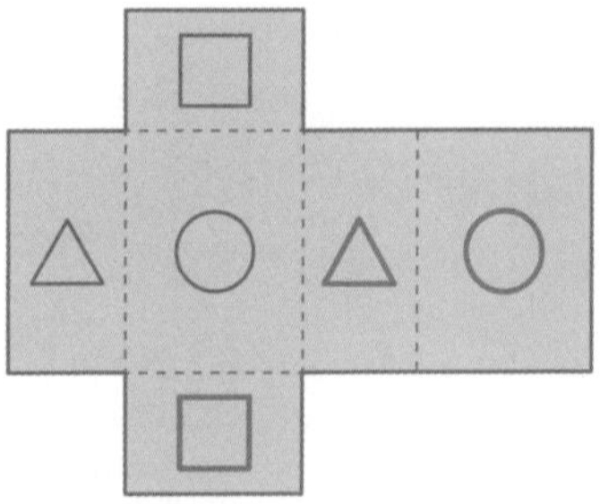

직육면체의 모서리를 잘라서
펼쳐 놓은 그림을 직육면체의
전개도라고 해. 옆면을 길게
펼친 모양을 생각하면 쉬워.


**1**

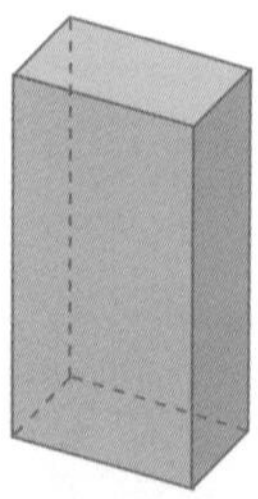

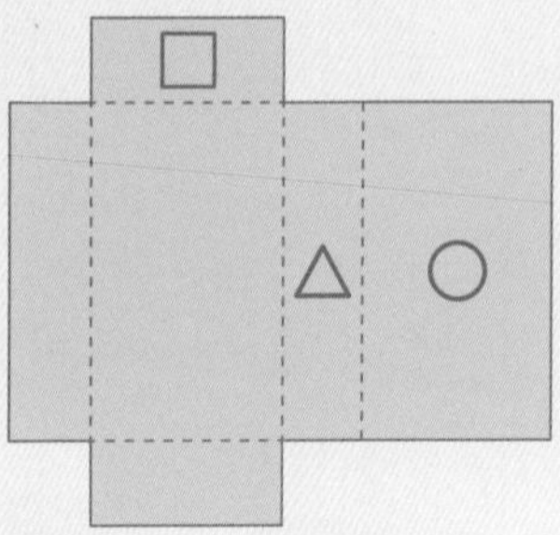

**2**

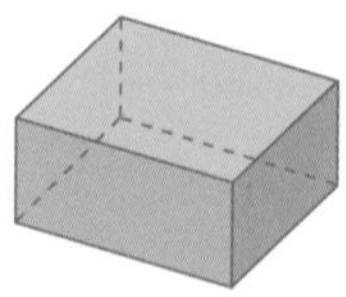

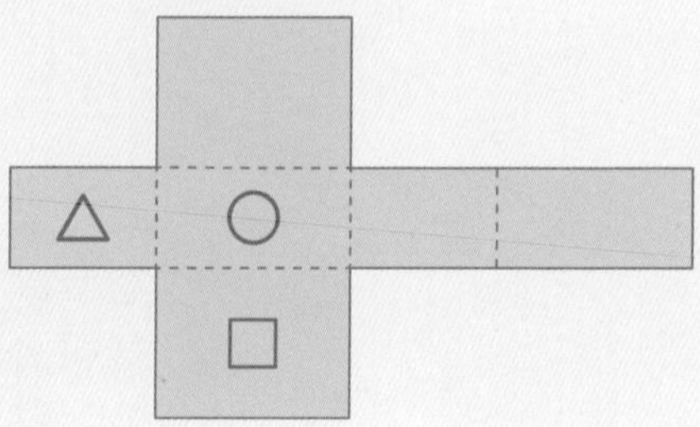

**3**

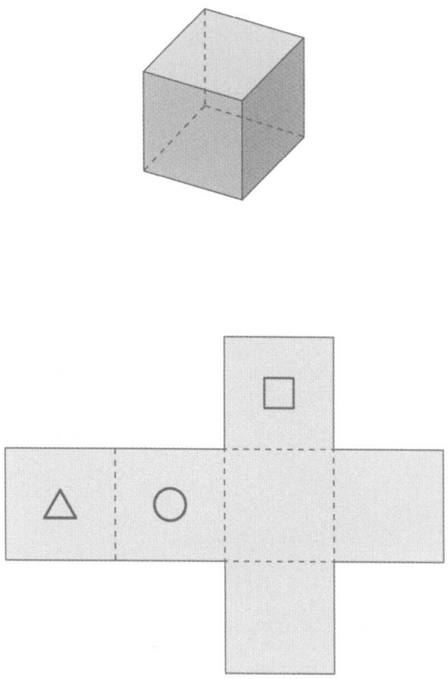

**4**

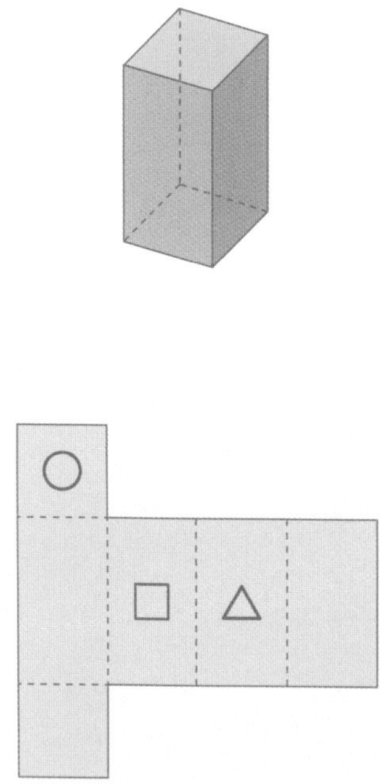

**5**

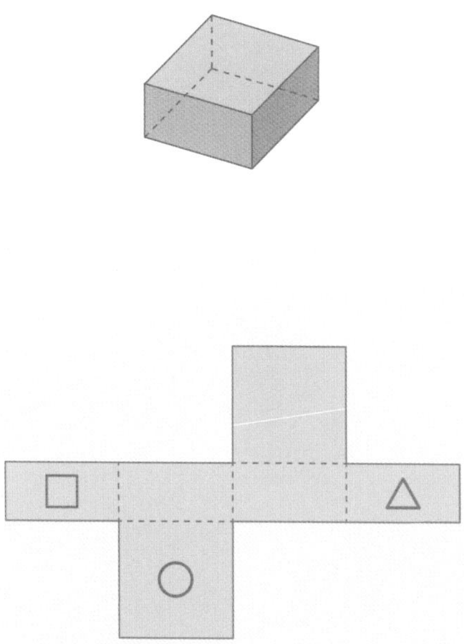

**6**

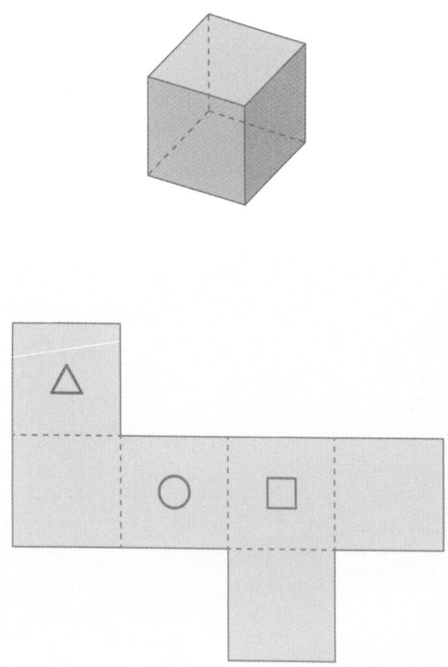

# 확인학습

빠진 부분에 실선 또는 점선을 그어 겨냥도를 완성하시오.

1

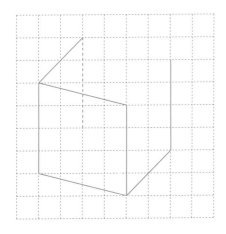

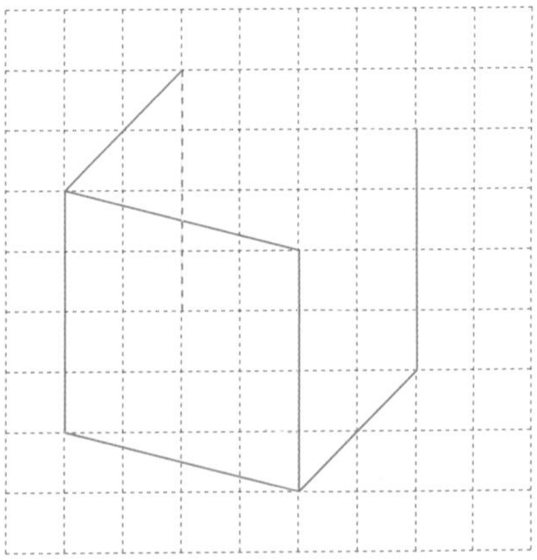

2

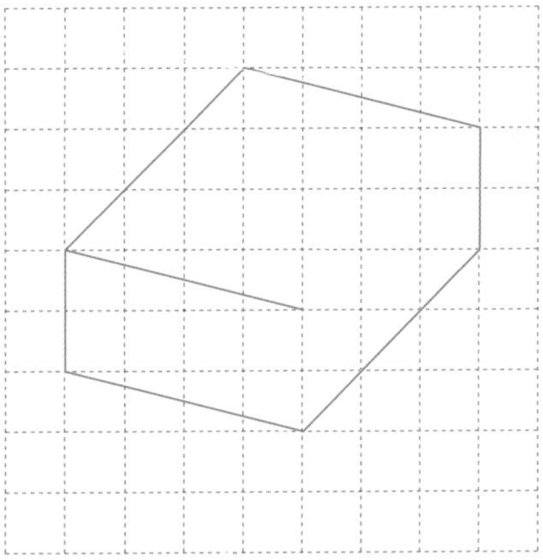

색칠한 면과 평행한 면에 색칠하시오.

3

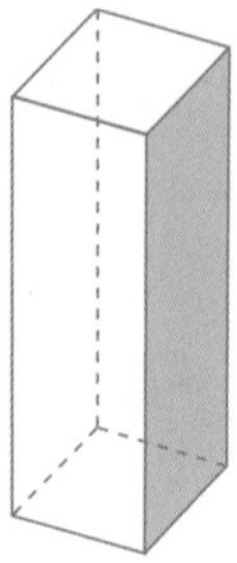

4

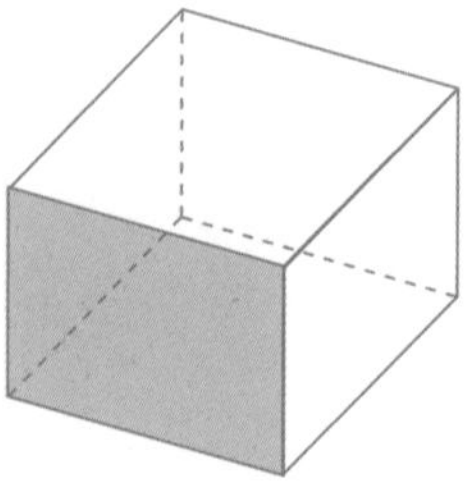

색칠한 면과 수직인 면이 아닌 것에 ╳표 하시오.

**5**

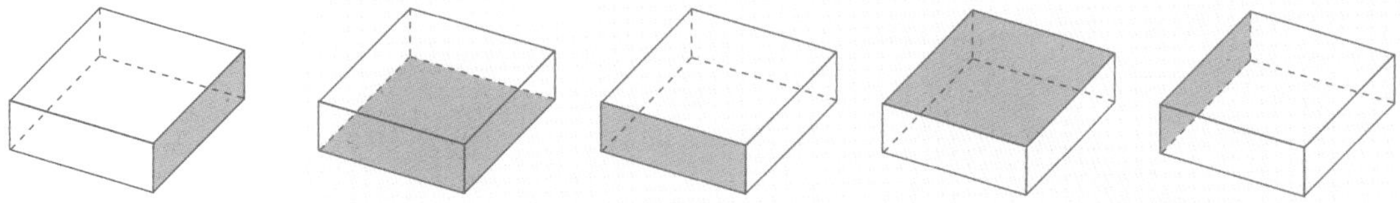

전개도를 접었을 때 평행한 면끼리 같은 모양으로 표시해 보시오.

**6**

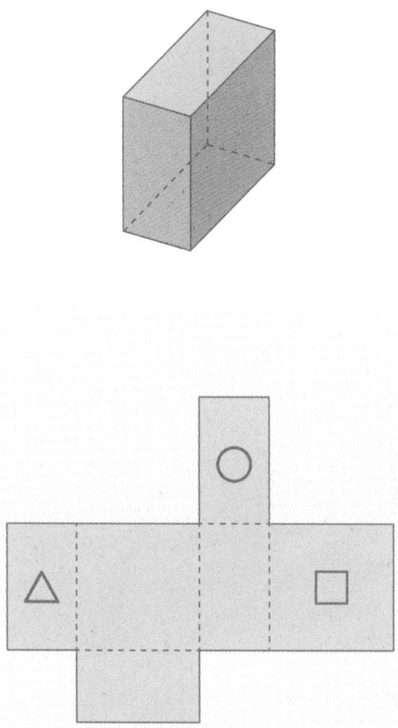

**7**

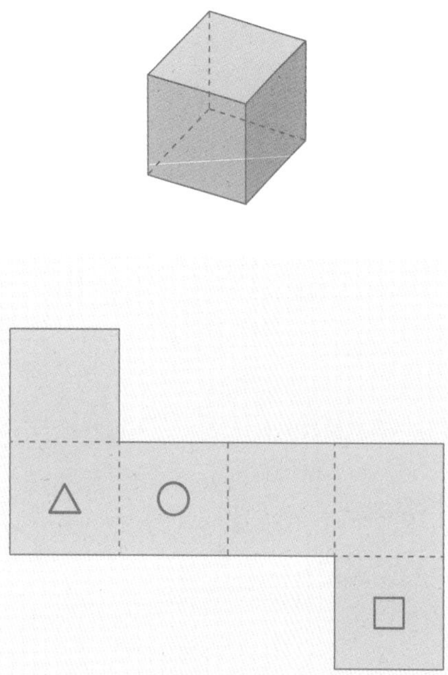

# 2주차

## 직육면체의 전개도

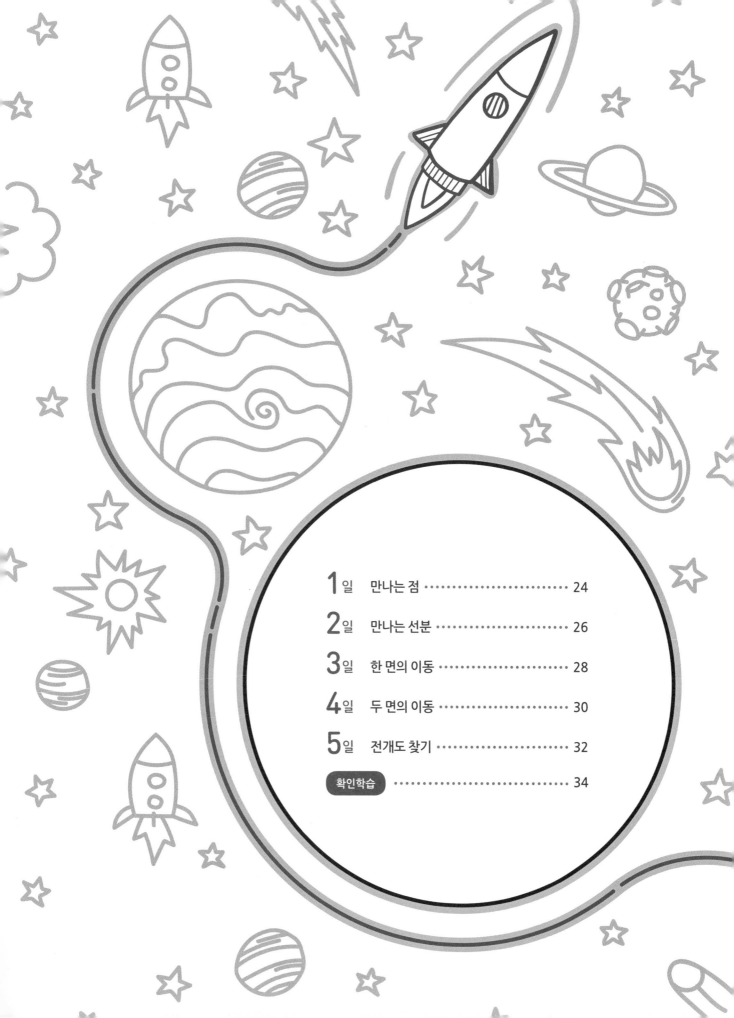

# 1일 만나는 점

전개도를 접었을 때 표시된 점 ●과 만나는 점을 모두 찾아 ●으로 표시해 보시오.

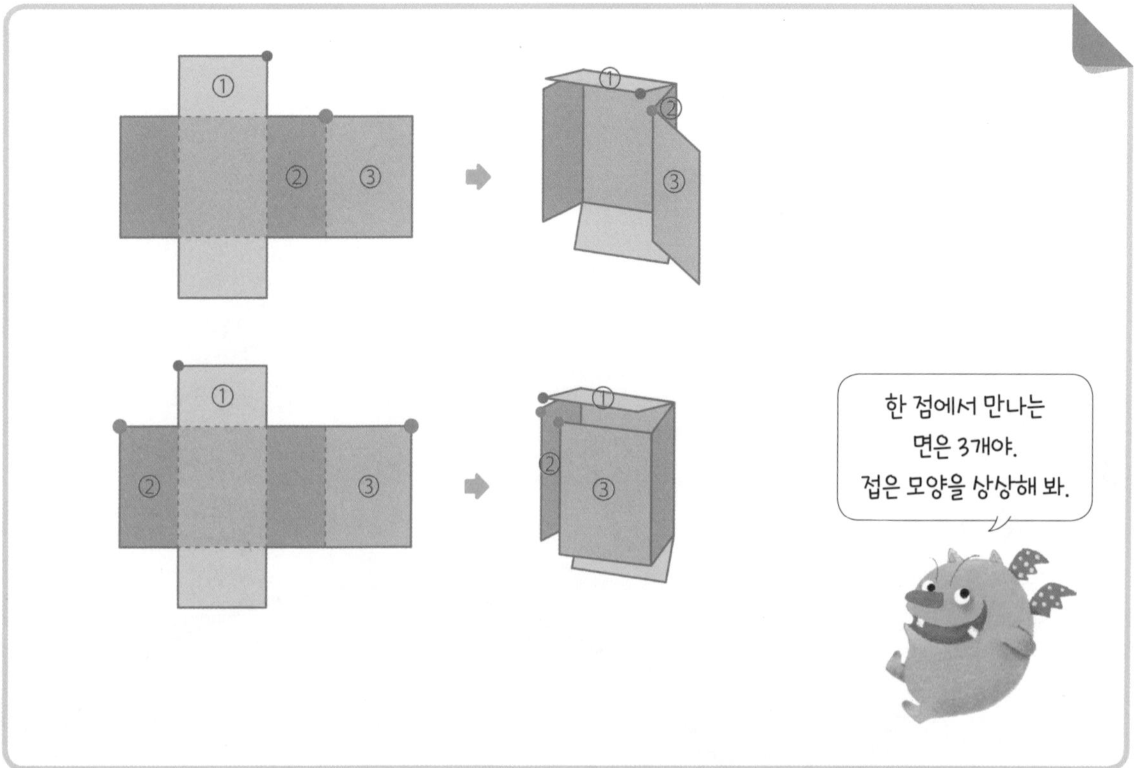


1

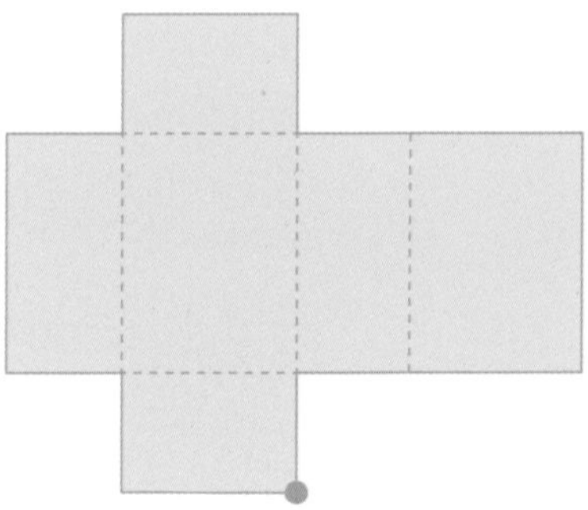

2

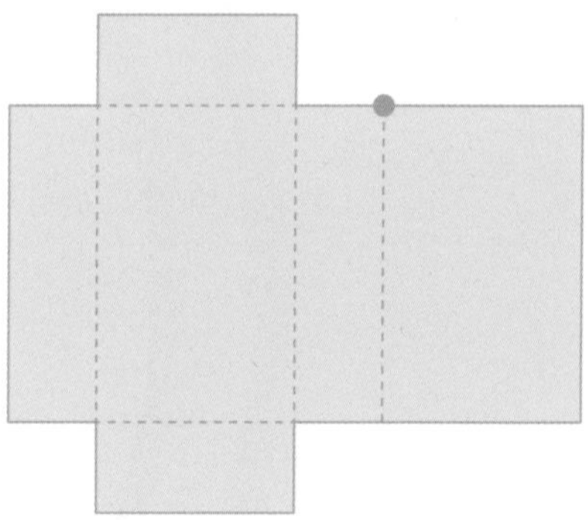

3

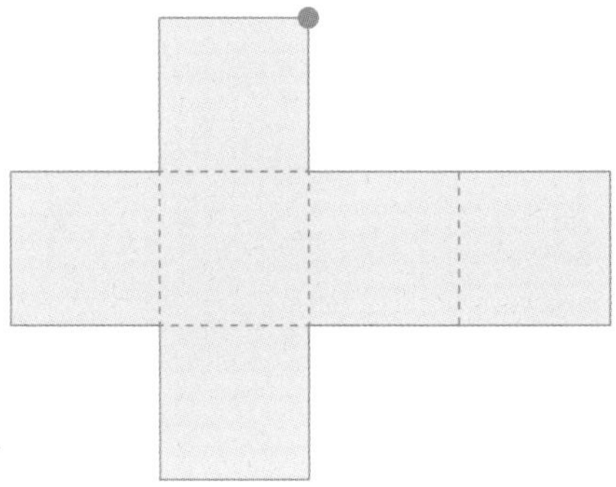

4

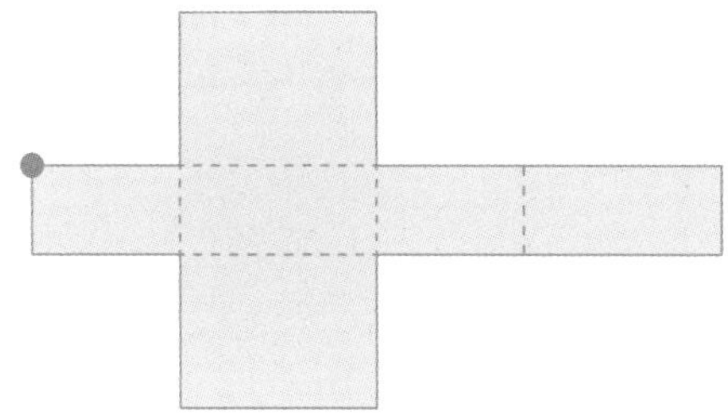

5

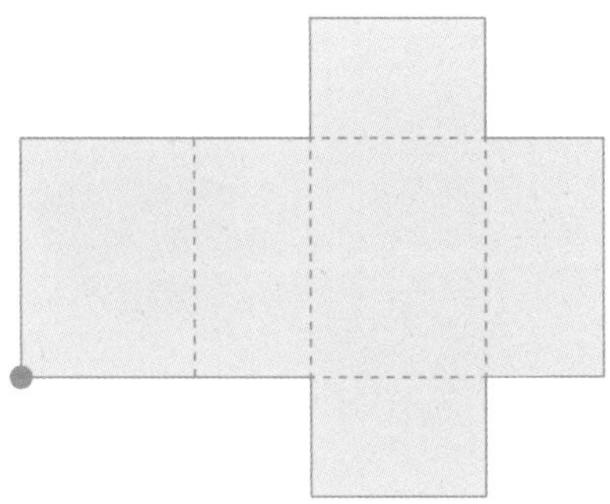

6

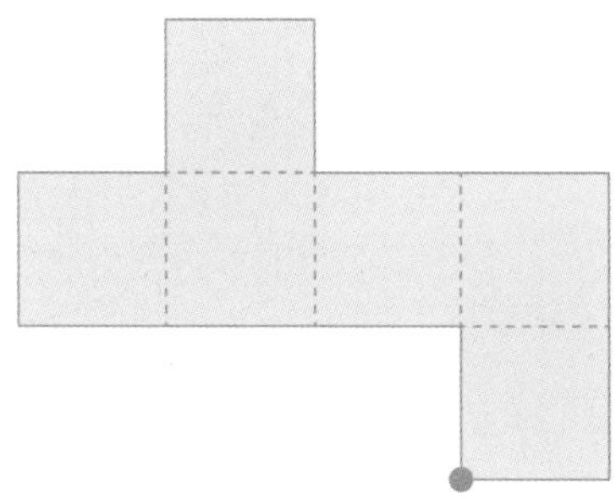

7

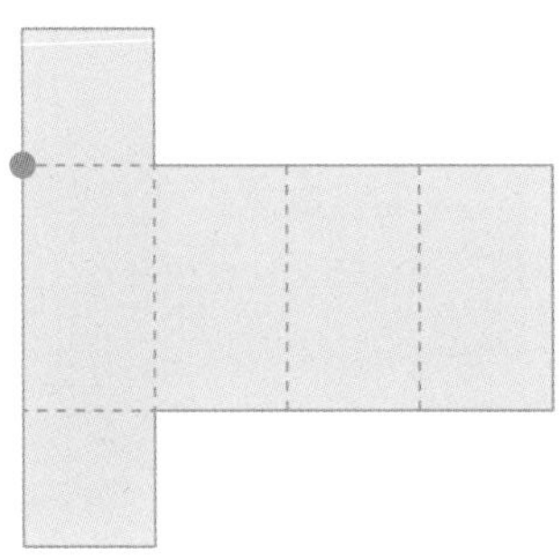

8

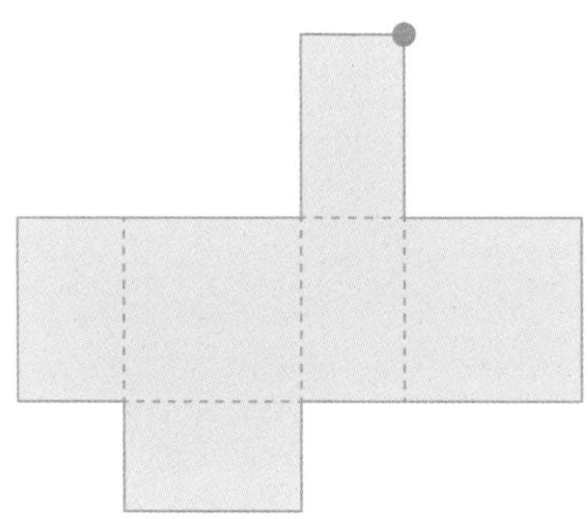

# 2일 만나는 선분

전개도를 접었을 때 표시된 선분과 만나는 선분을 찾아 ○로 표시해 보시오.

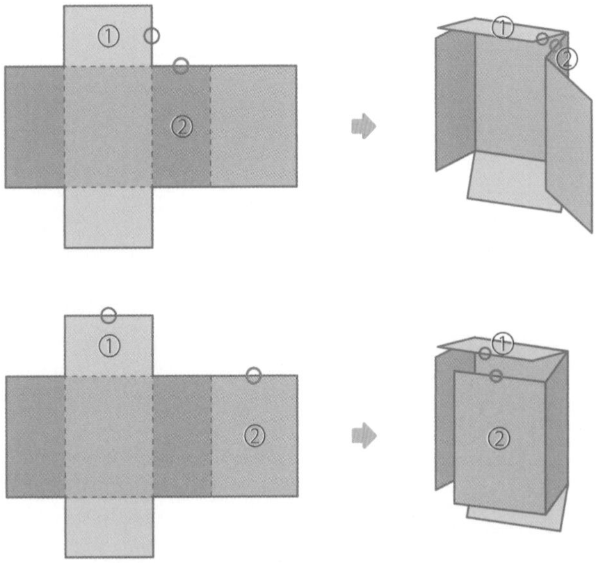
①
②
①
②
①
②
①
②

한 선분에서 만나는
면은 2개야.
접은 모양을 상상해 봐.

**1**

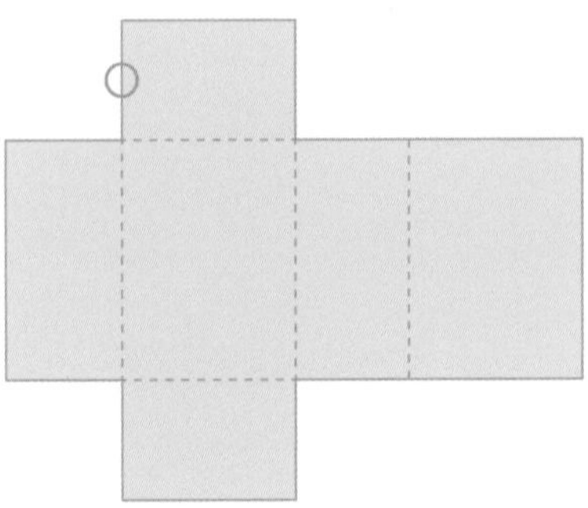

**2**

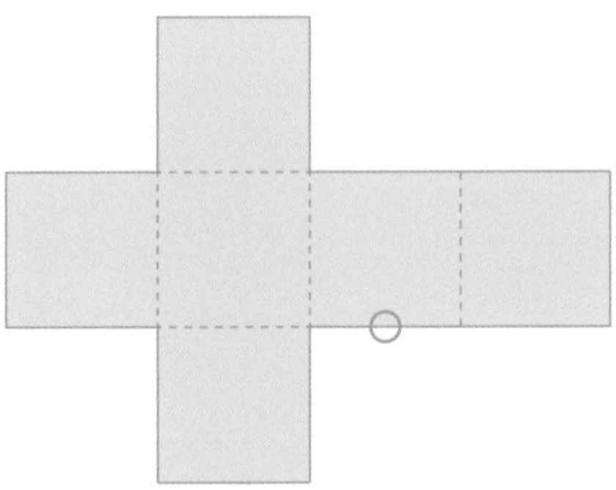

3

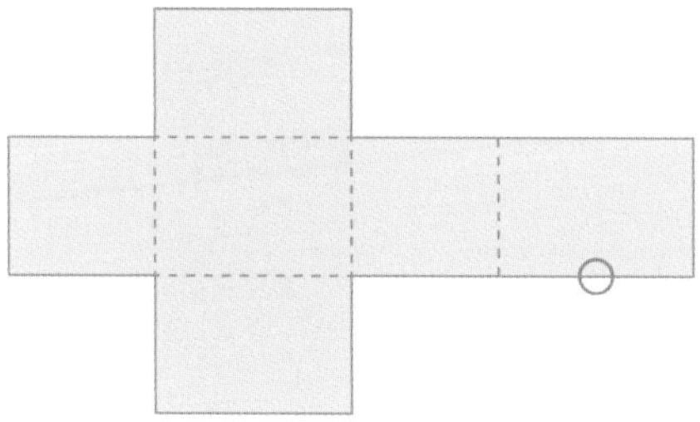

4

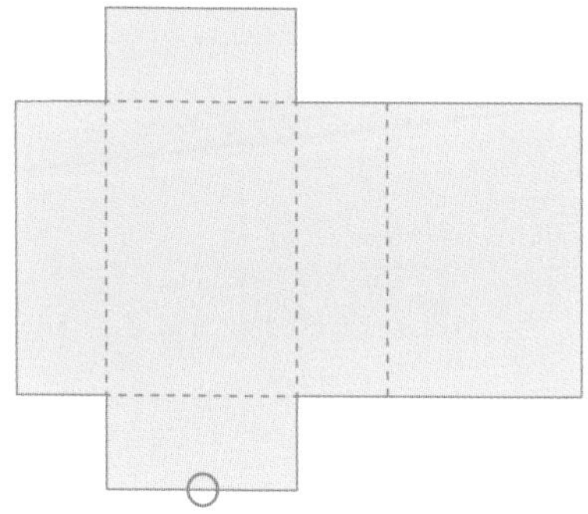

5

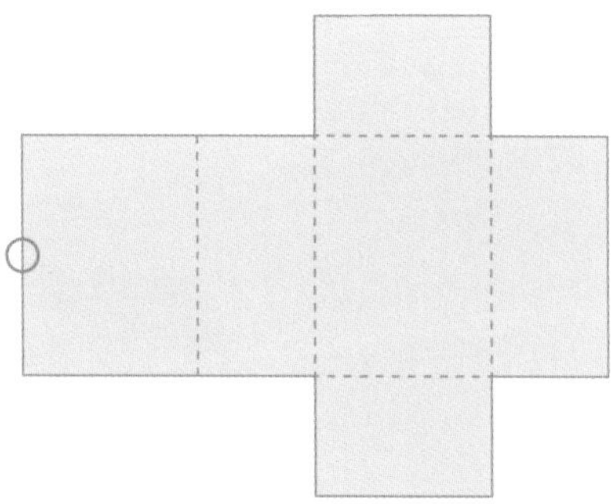

6

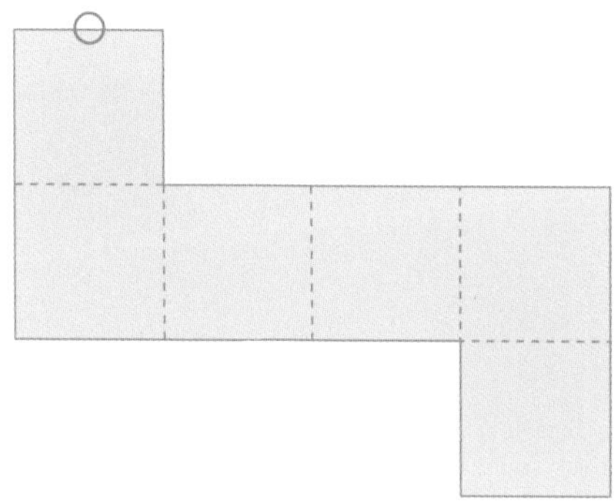

7

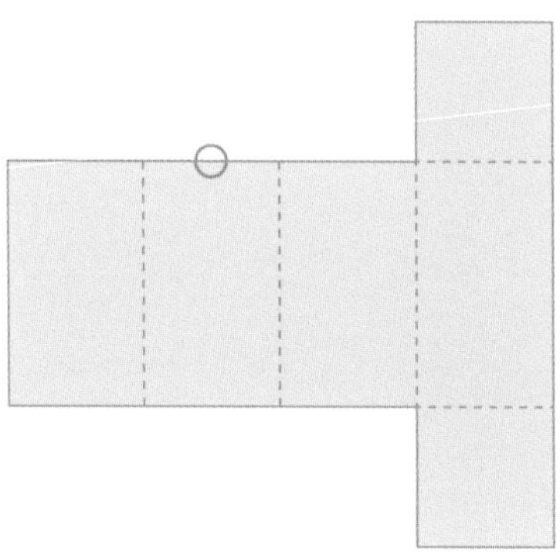

8

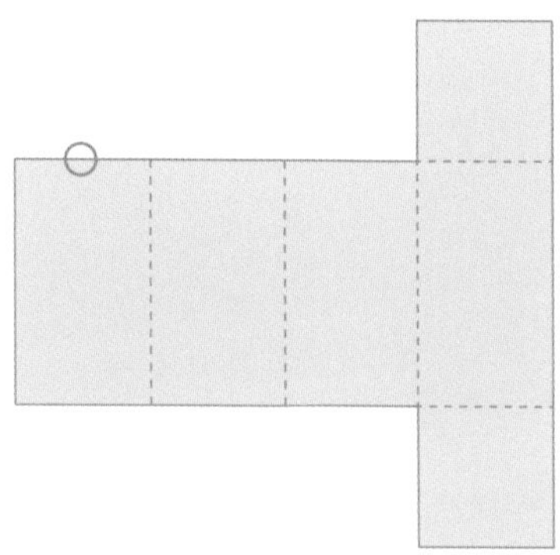

3일 한 면의 이동

색칠된 면을 화살표 방향으로 돌렸습니다. 이동한 면을 그려 전개도를 완성하시오.

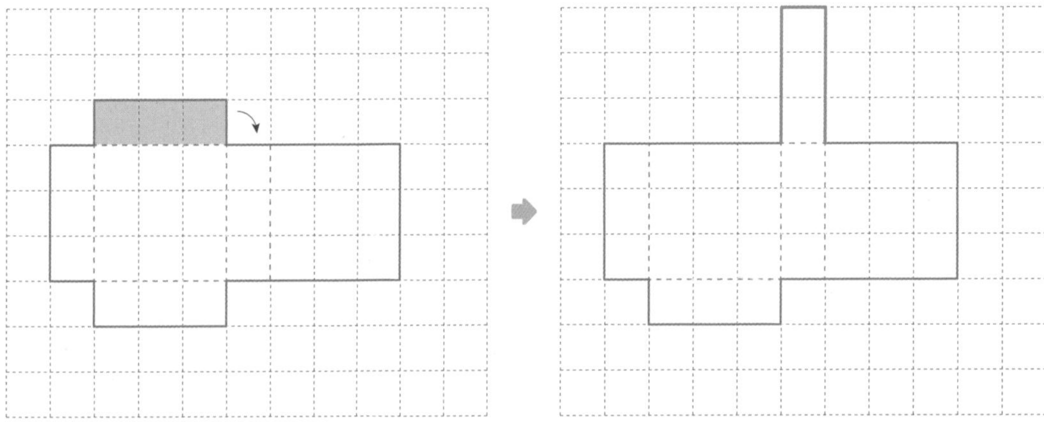

전개도의 면을 이동하면
전개도의 모양은 변하지만
접었을 때 같은 직육면체가 돼.


1

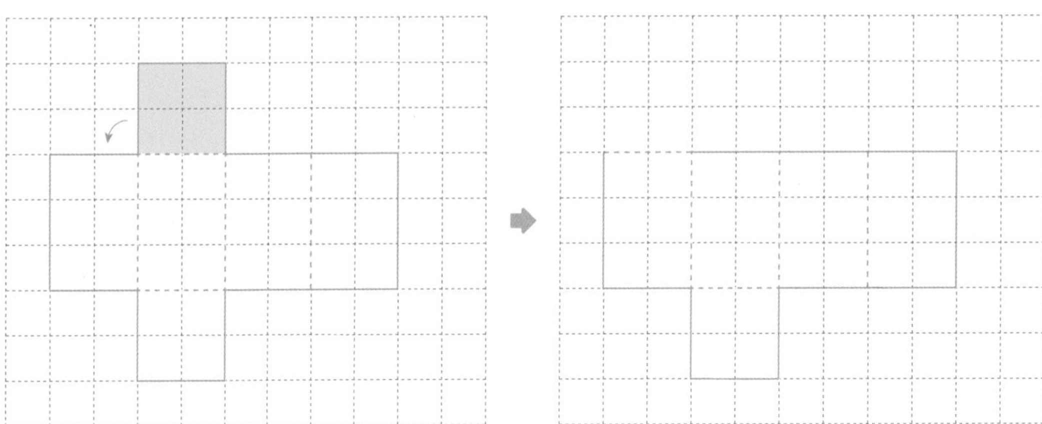

2

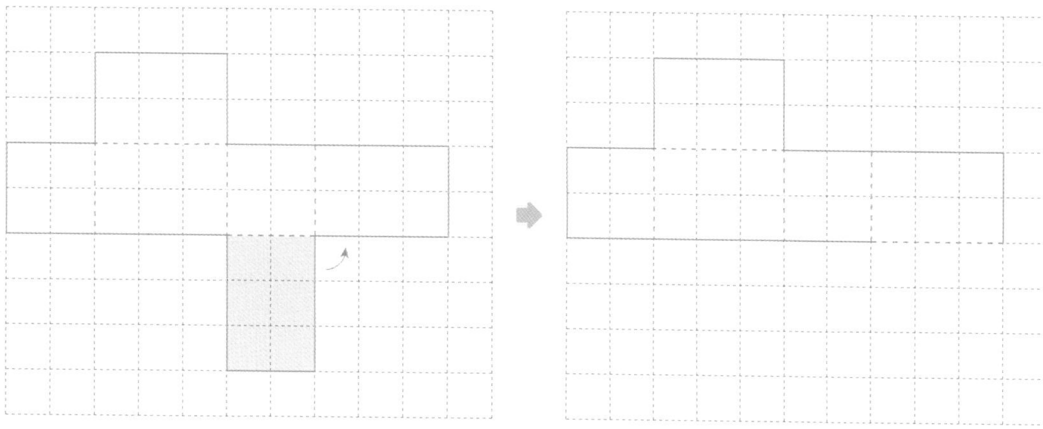

3

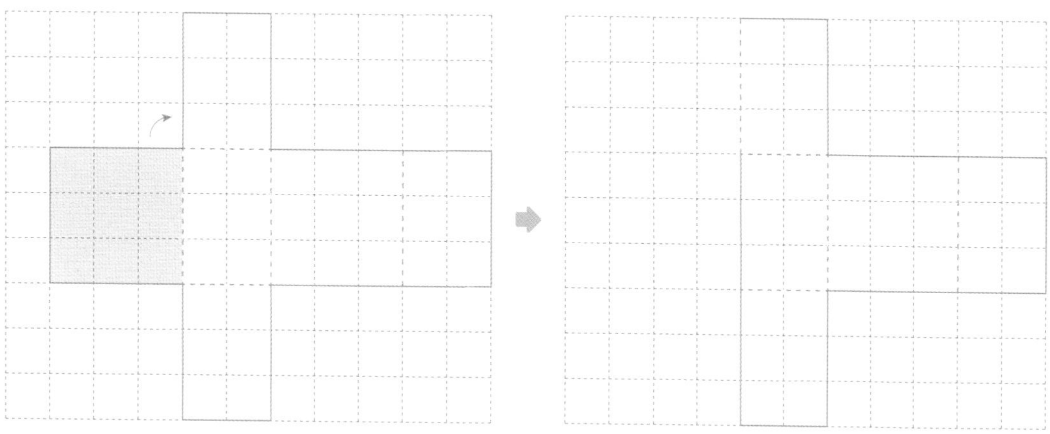

4

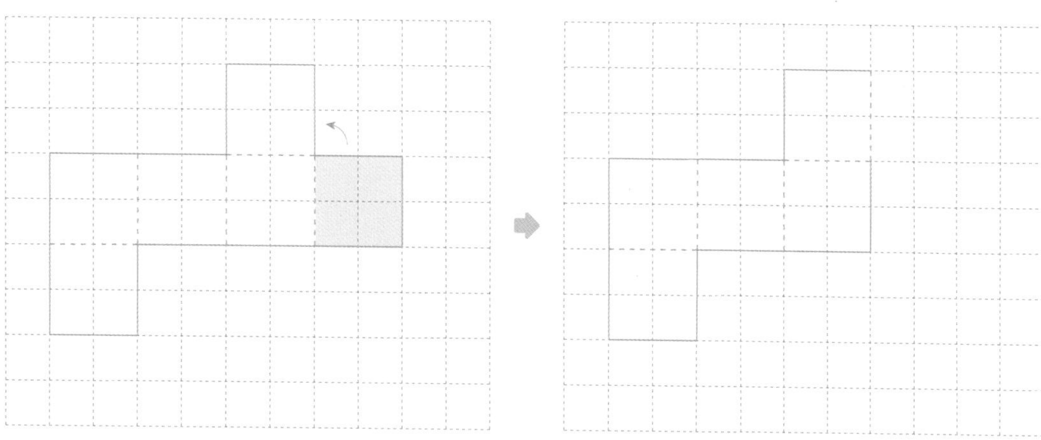

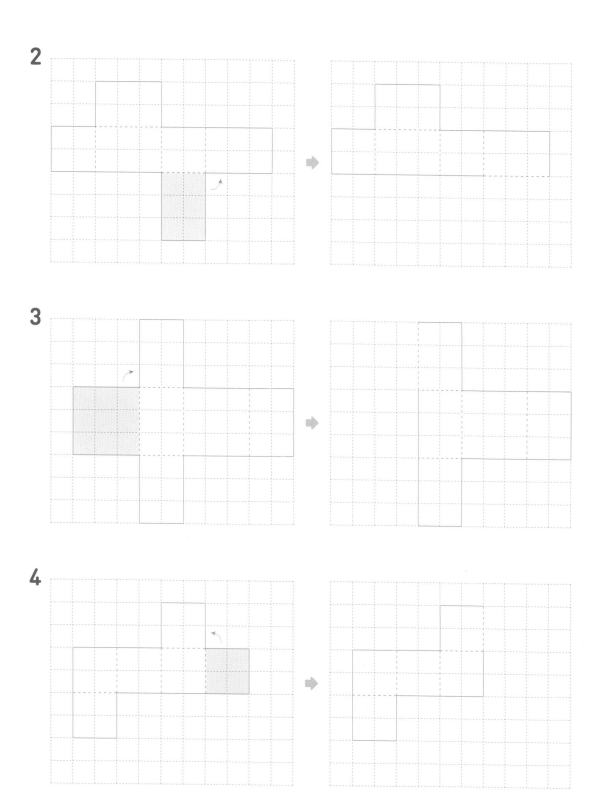

# 4일 두 면의 이동

색칠된 두 면을 화살표 방향으로 돌렸습니다. 이동한 면을 그려 전개도를 완성하시오.

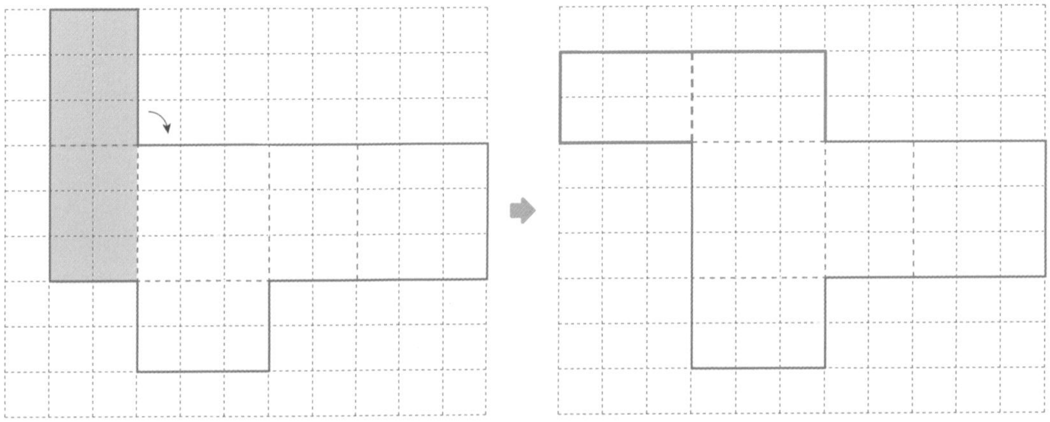

바깥쪽 테두리는 실선,
안쪽 접히는 선은
점선으로 그려야 해.

**1**

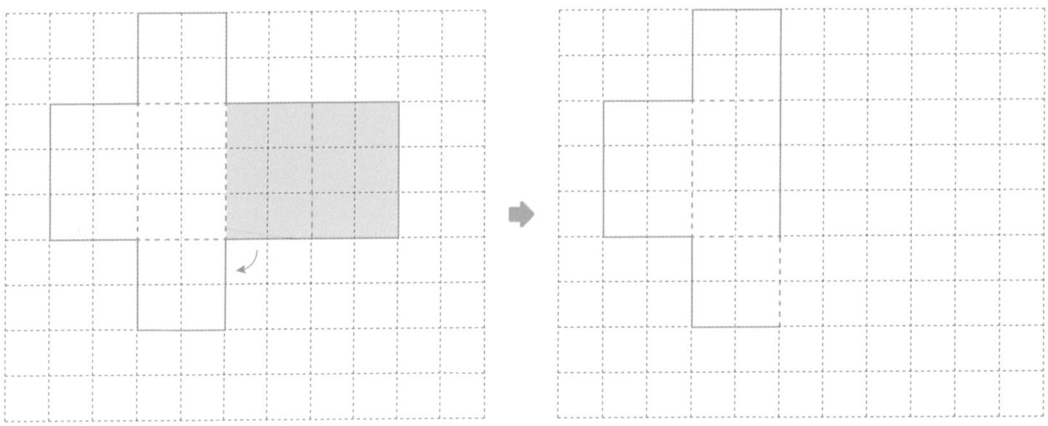

## 2

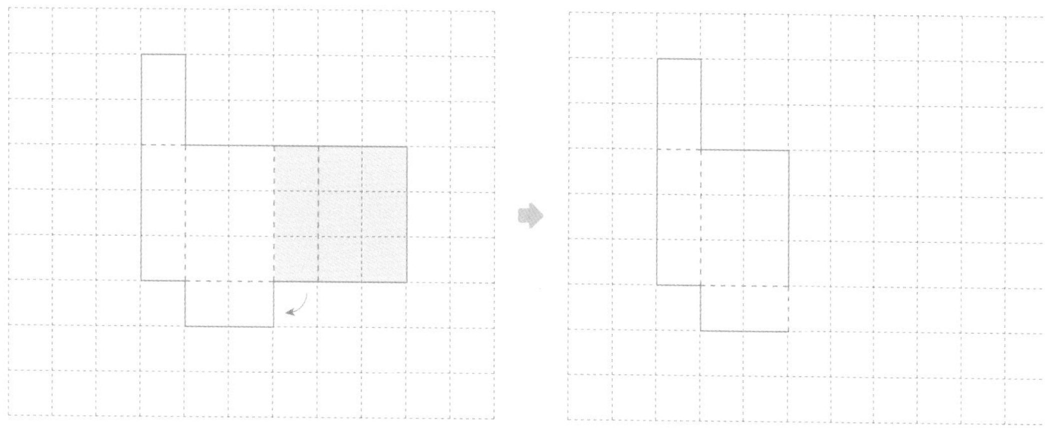

## 3

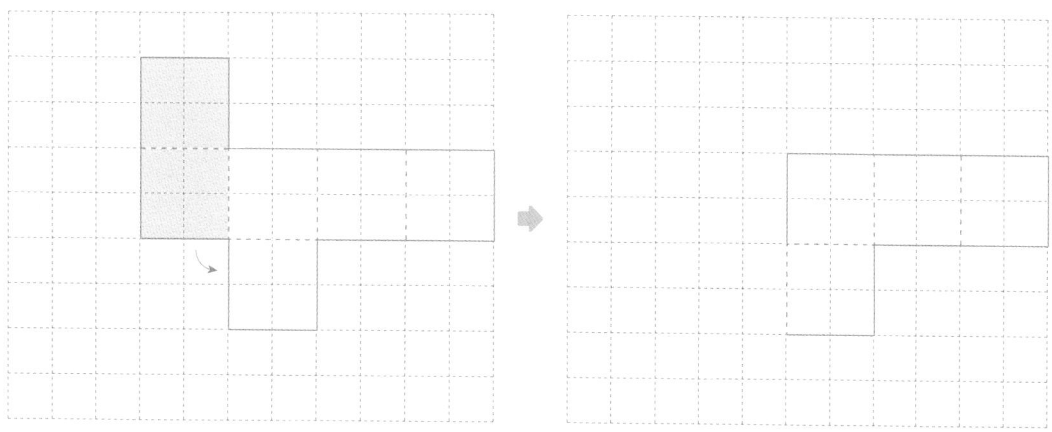

## 4

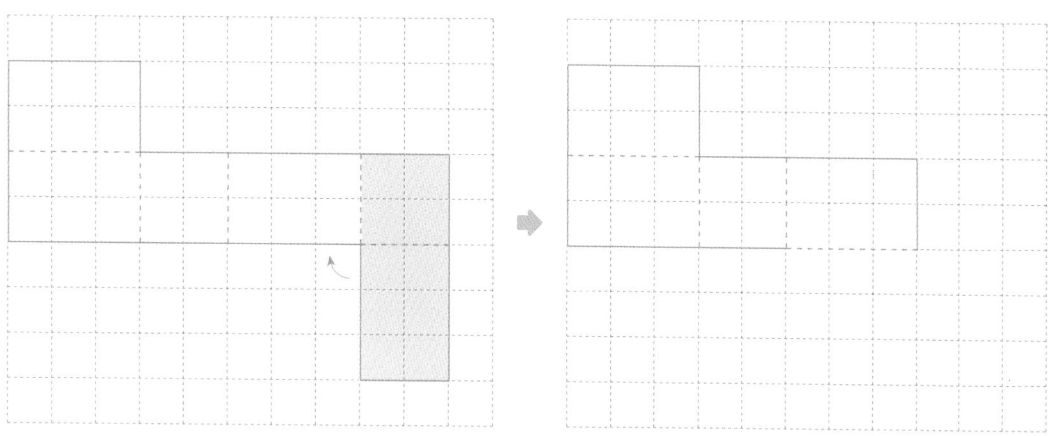

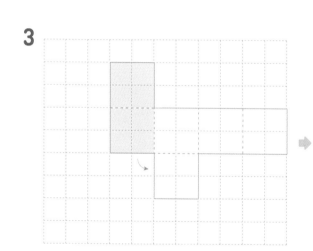

# 5일 전개도 찾기

직육면체의 전개도가 아닌 것에 ╳표 하시오.

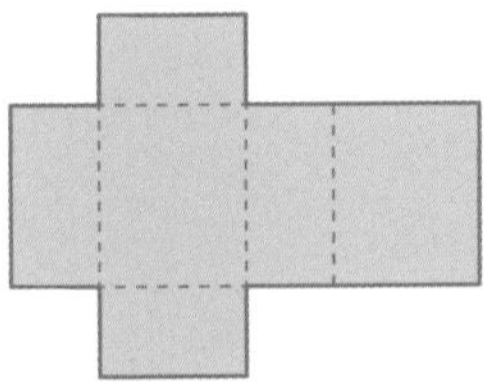

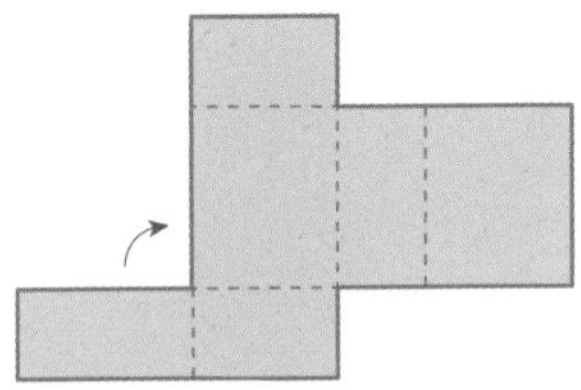

면 1개를 돌리면
기본 전개도 모양이 됨

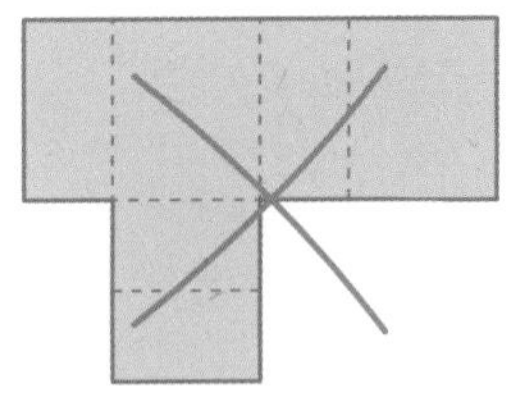

접었을 때 서로 겹치는
면이 있음

만나는 선분끼리 닿도록 면을 돌리면 쉬운 전개도 모양으로 바꿀 수 있어.

**1**

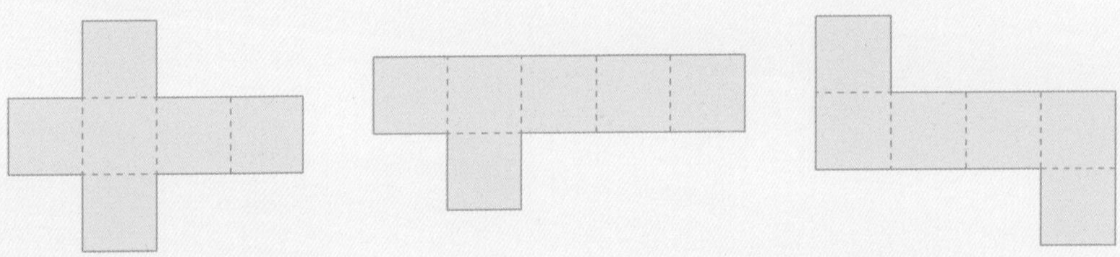

**2**

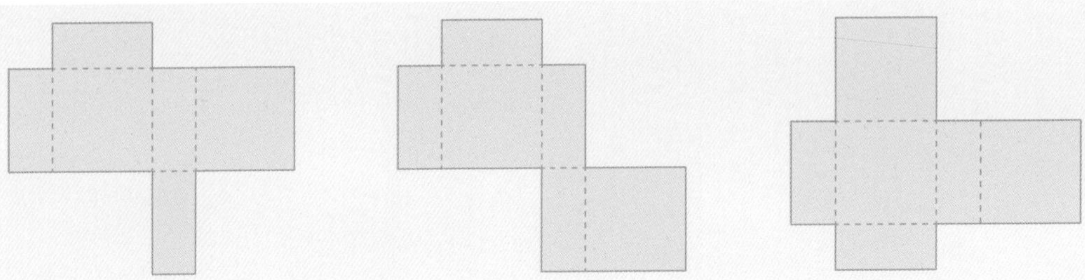

3

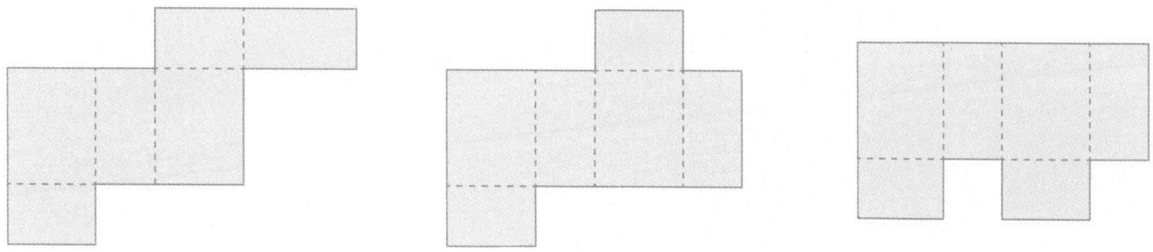

4

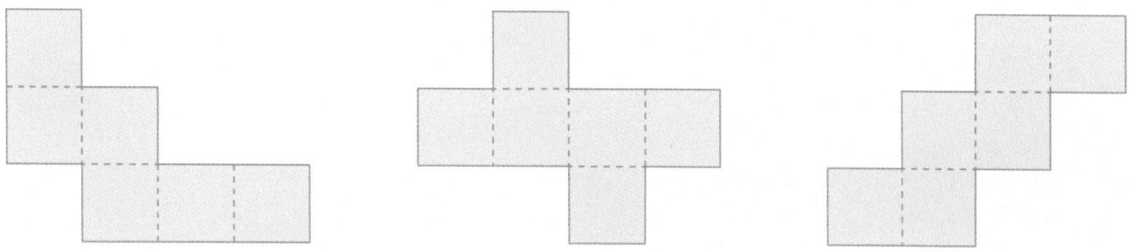

5

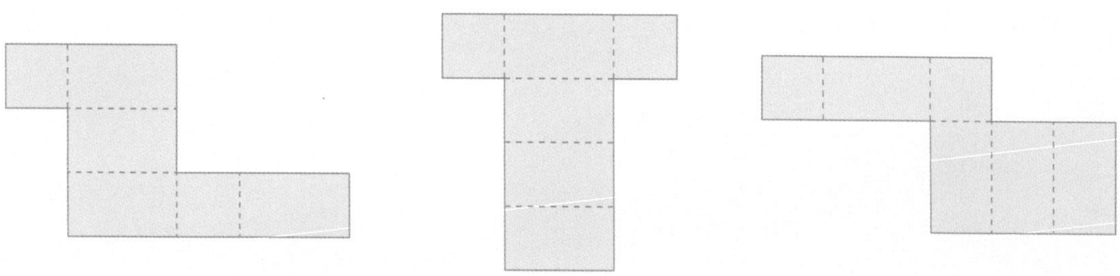

6

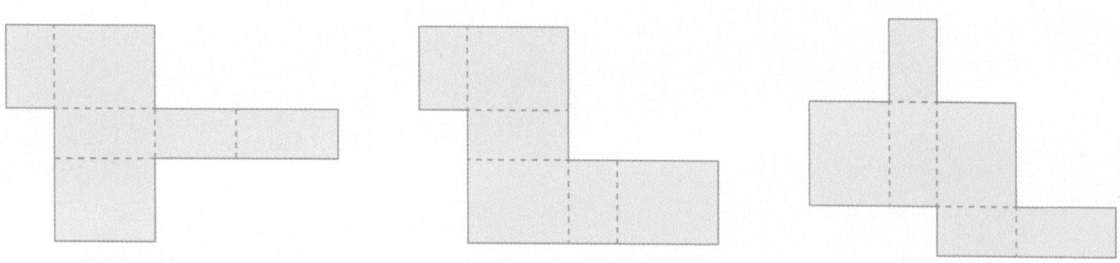

## 확인학습

전개도를 접었을 때 표시된 점 ●과 만나는 점을 모두 찾아 ●으로 표시해 보시오.

**1**

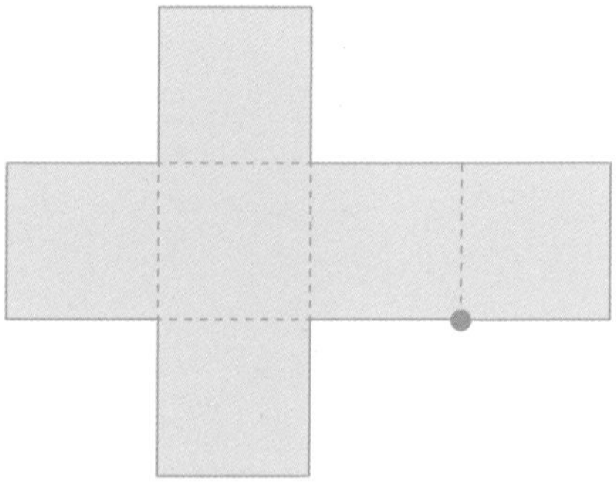

**2**

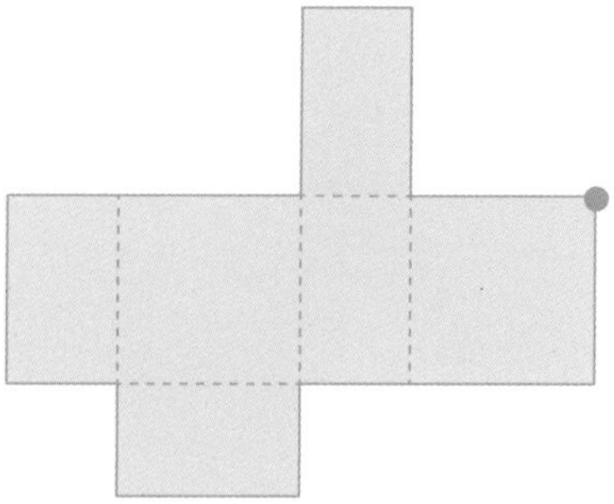

전개도를 접었을 때 표시된 선분과 만나는 선분을 찾아 ○로 표시해 보시오.

**3**

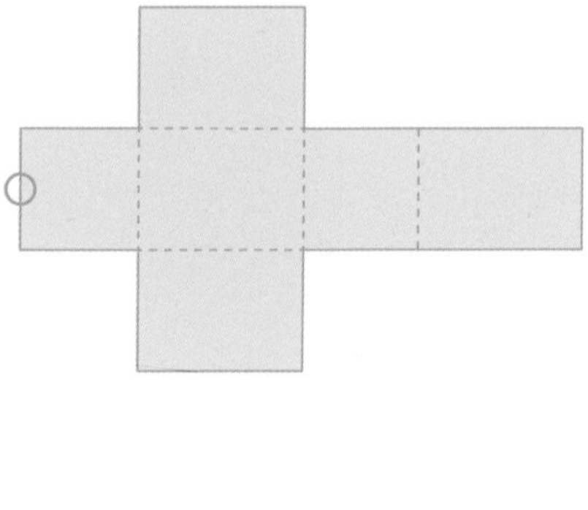

**4**

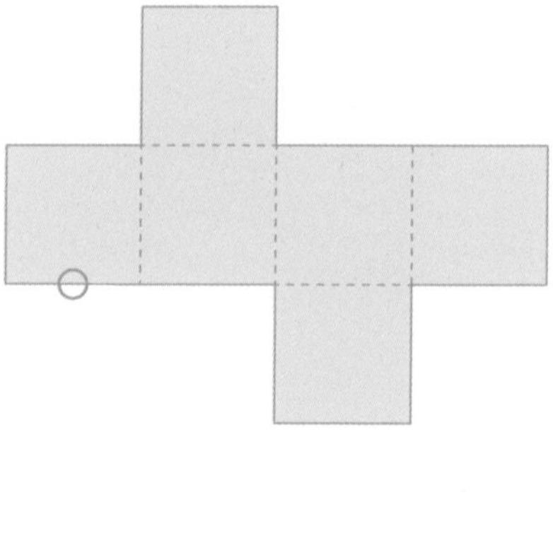

색칠된 면을 화살표 방향으로 돌렸습니다. 이동한 면을 그려 전개도를 완성하시오.

**5**

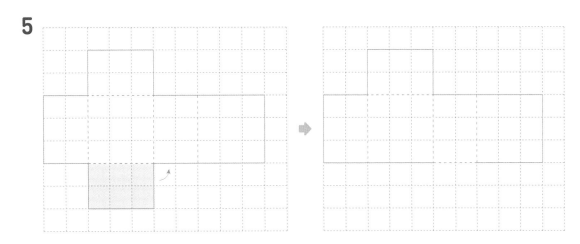

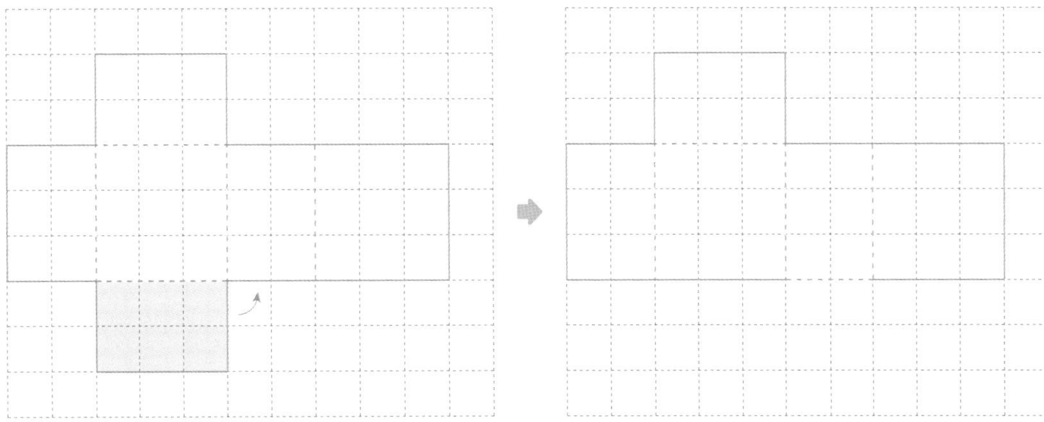

직육면체의 전개도가 아닌 것에 ╳표 하시오.

**6**

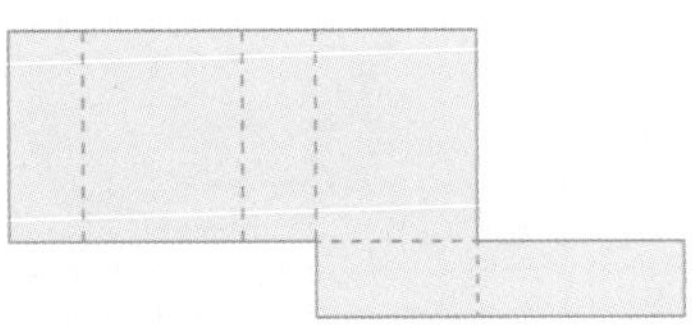

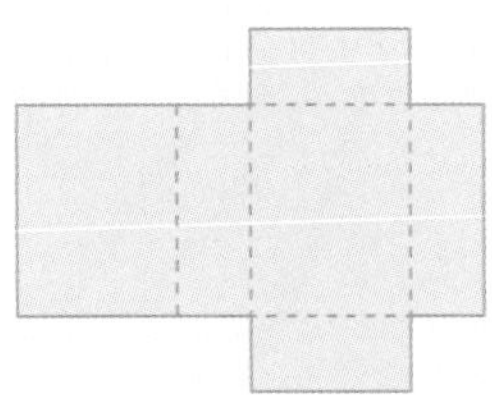

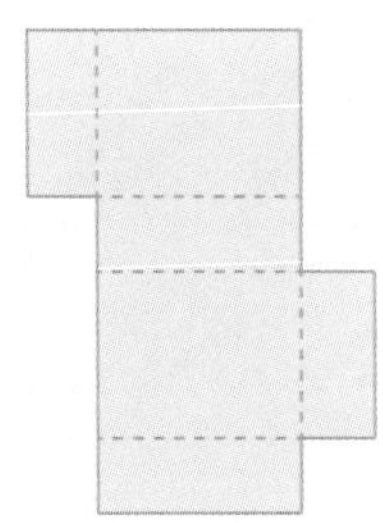

**7**

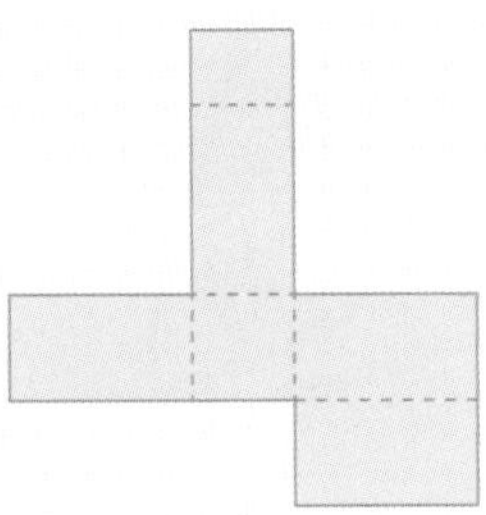

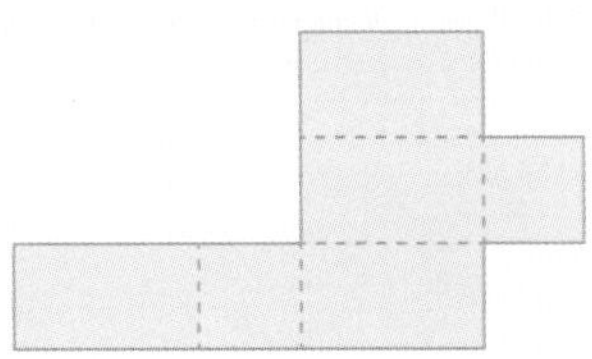

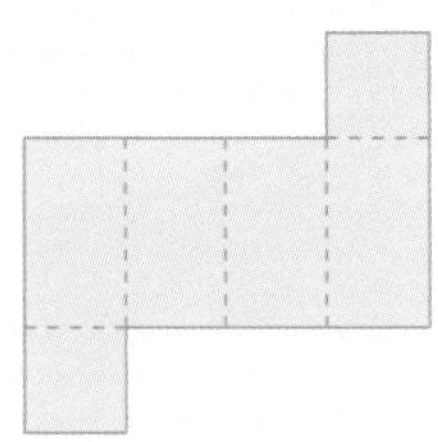

# 3 주차

## 전개도 그리기

# 1일 펼친 모양

직육면체의 전개도를 올바르게 그린 것에 ○표 하시오.

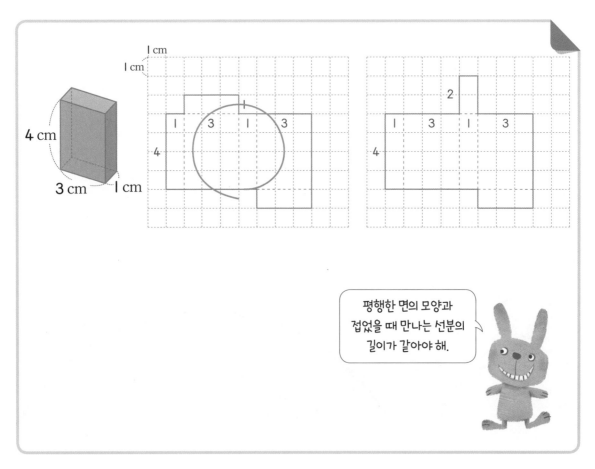

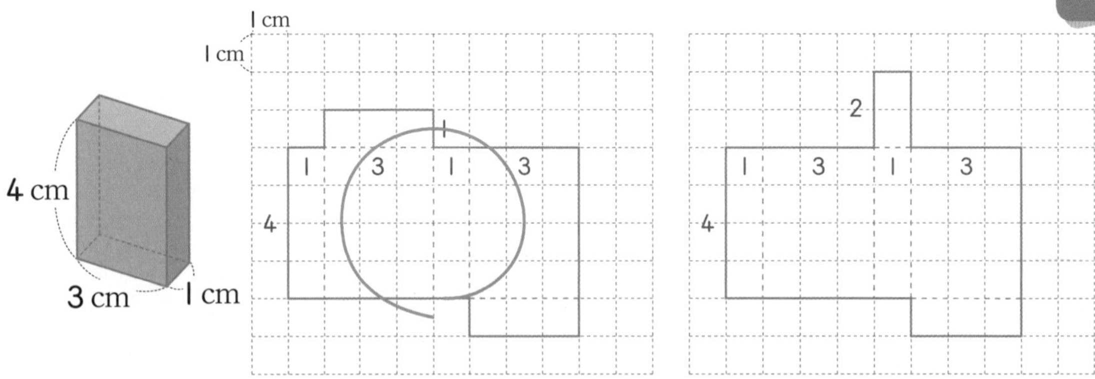

평행한 면의 모양과
접었을 때 만나는 선분의
길이가 같아야 해.


**1**

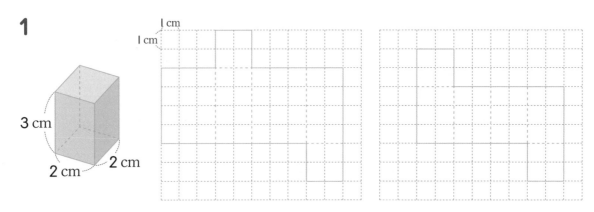

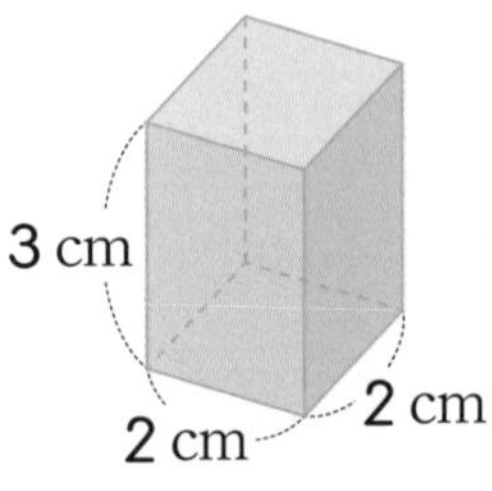

**2**

**3**

**4**

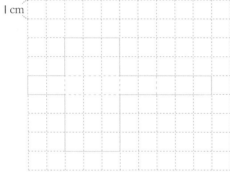

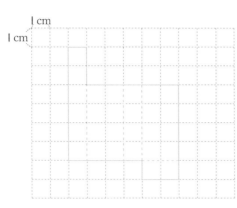

# 2일 빠진 부분 그리기

전개도에서 빠진 부분을 그려 넣으시오.

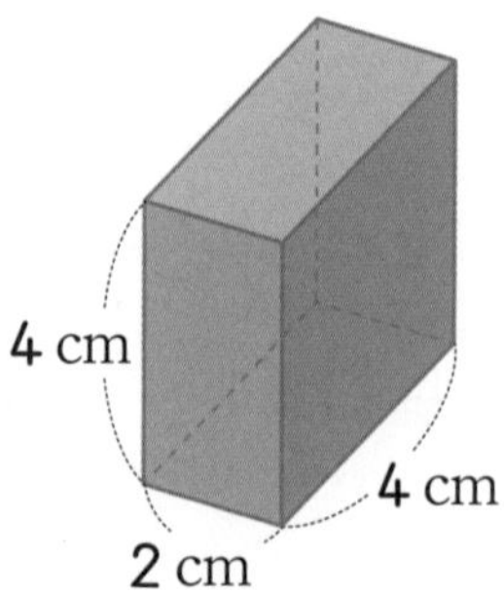


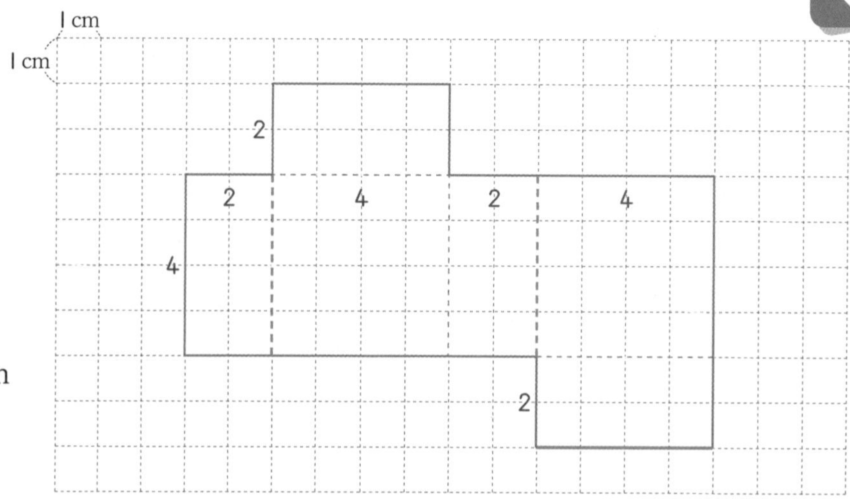

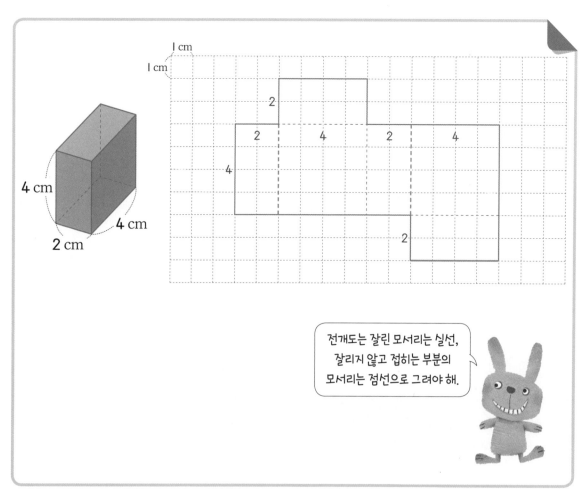

전개도는 잘린 모서리는 실선,
잘리지 않고 접히는 부분의
모서리는 점선으로 그려야 해.

**1**

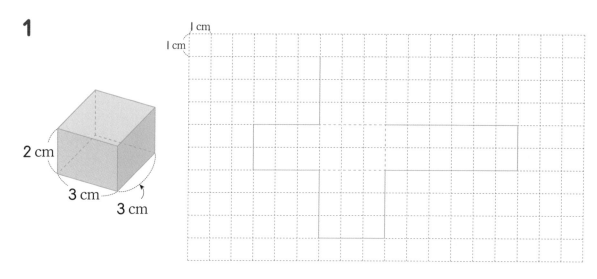

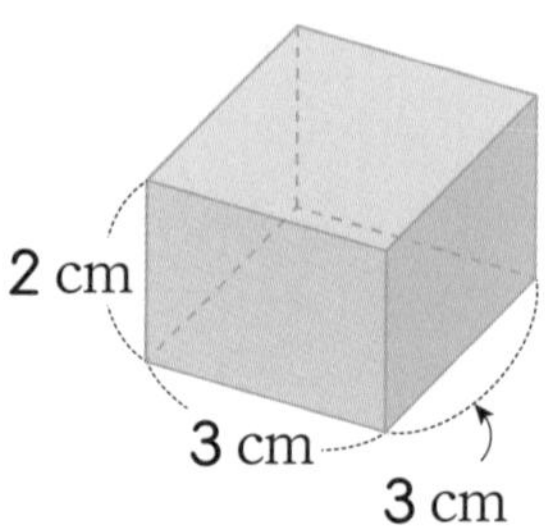


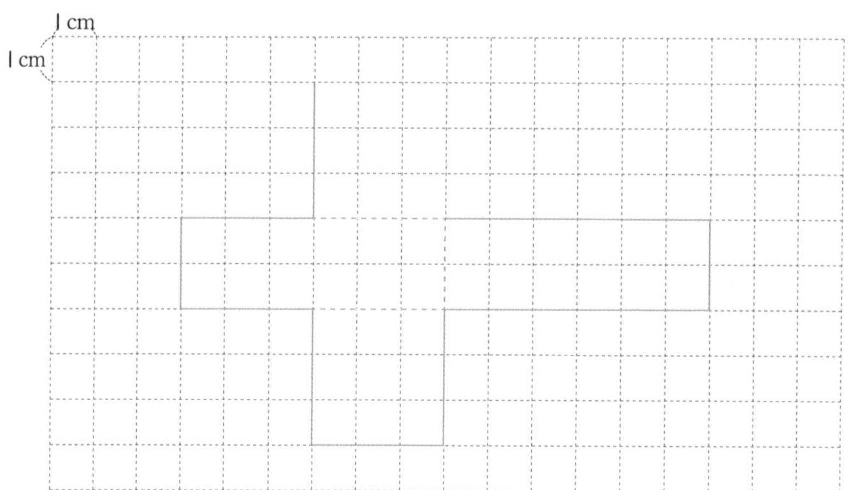

## 2

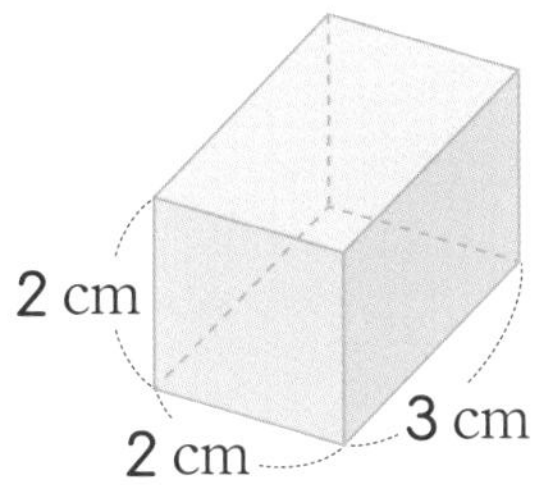

## 3

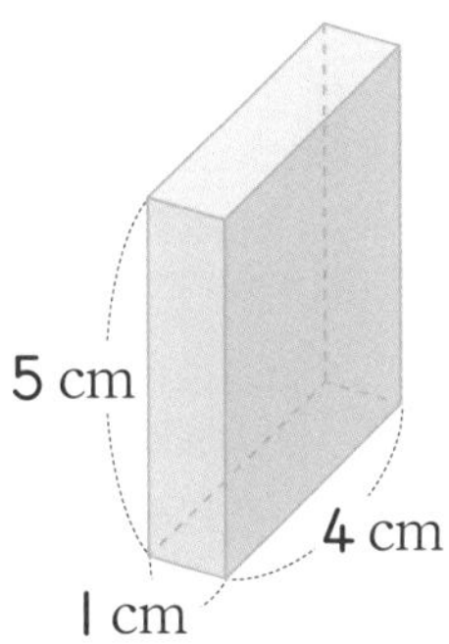


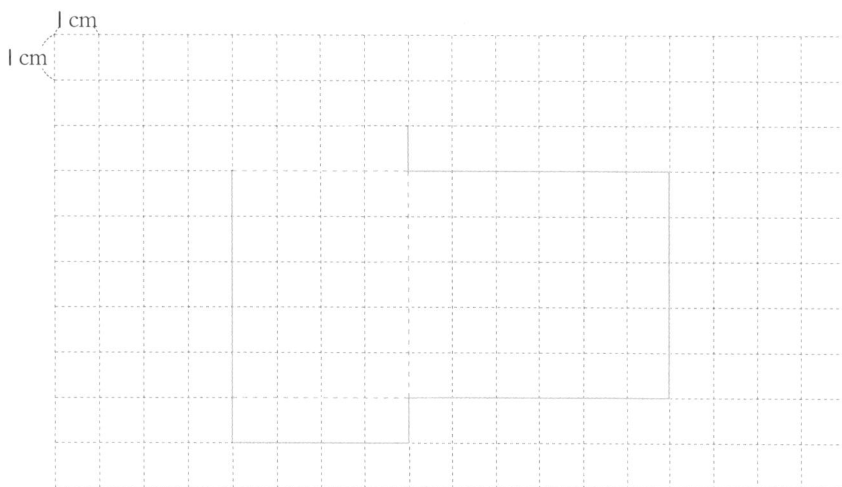


## 4

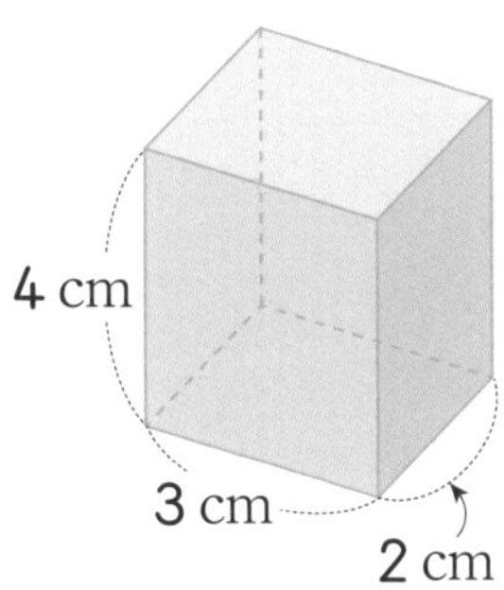


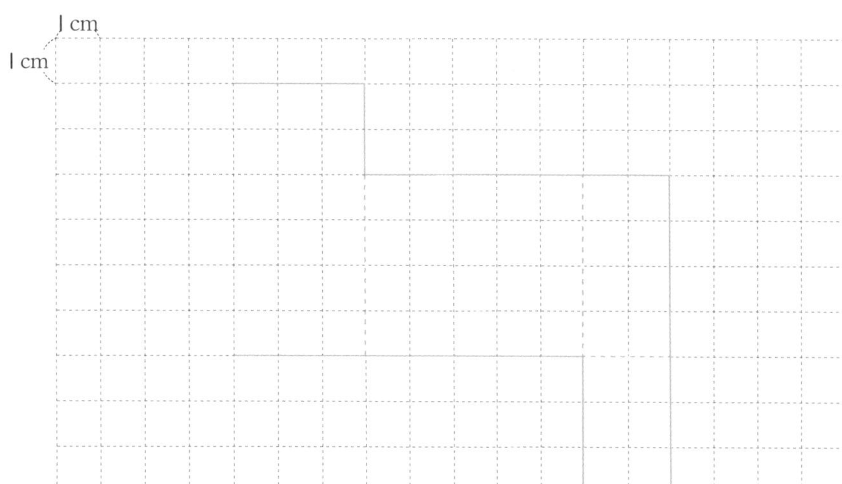

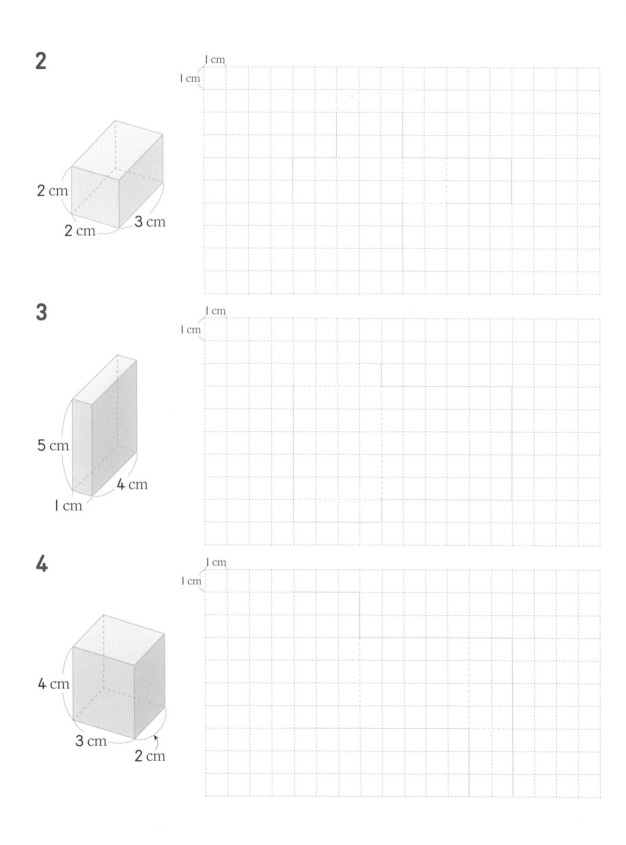

# 떨어진 두 면 그리기

점선 부분에 알맞은 면을 연결하여 그려 전개도를 완성하시오.

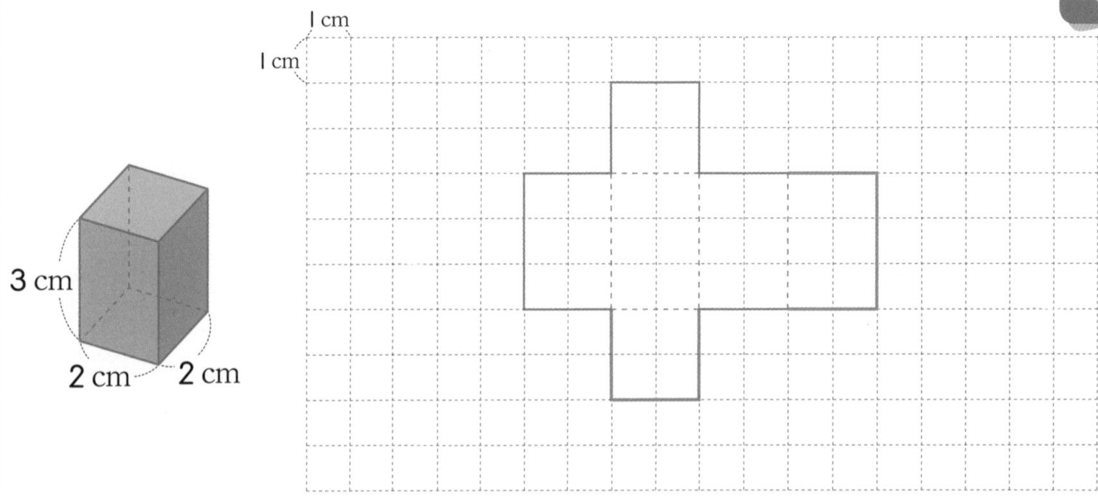

면을 그릴 위치와
모서리 길이를 알아봐.


**1**

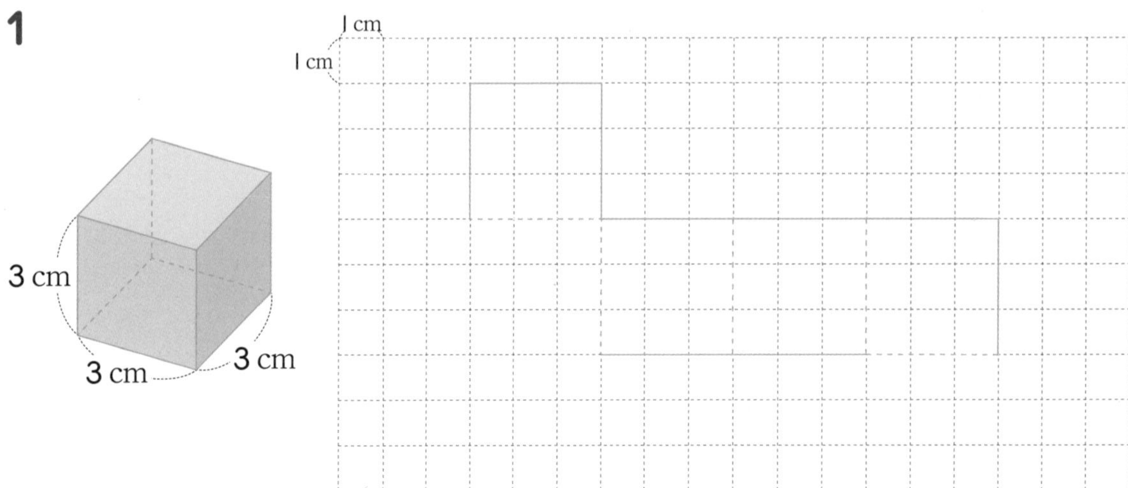

## 2

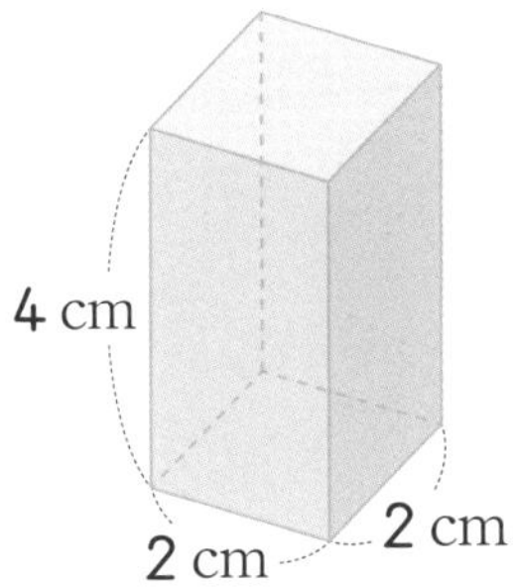

## 3

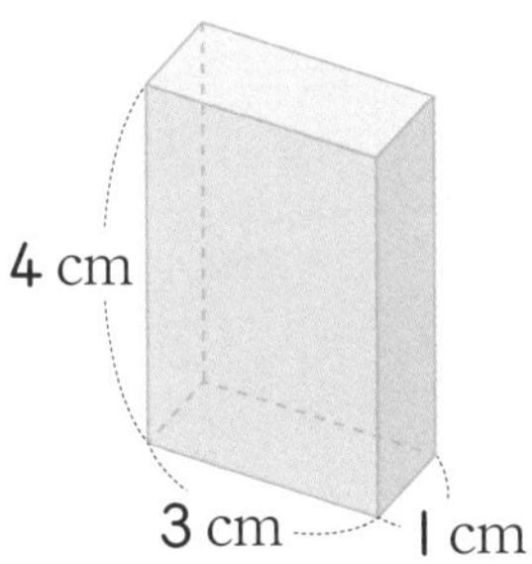

## 4

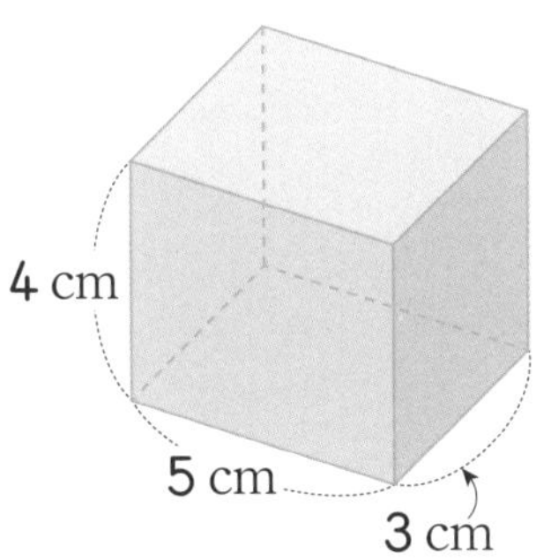

# 4일 연결된 두 면 그리기

점선 부분에 알맞은 면을 연결하여 그려 전개도를 완성하시오.

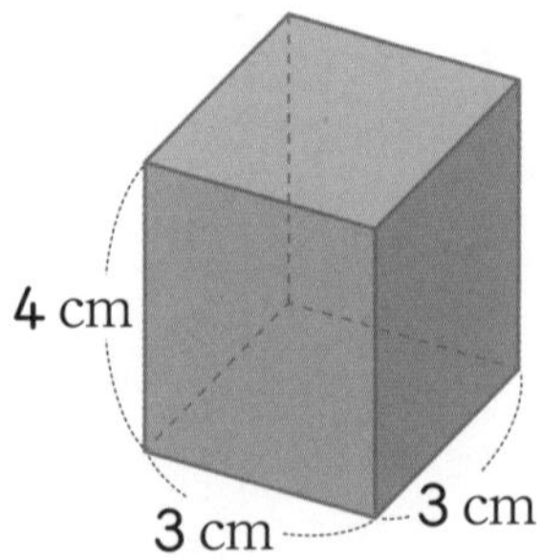


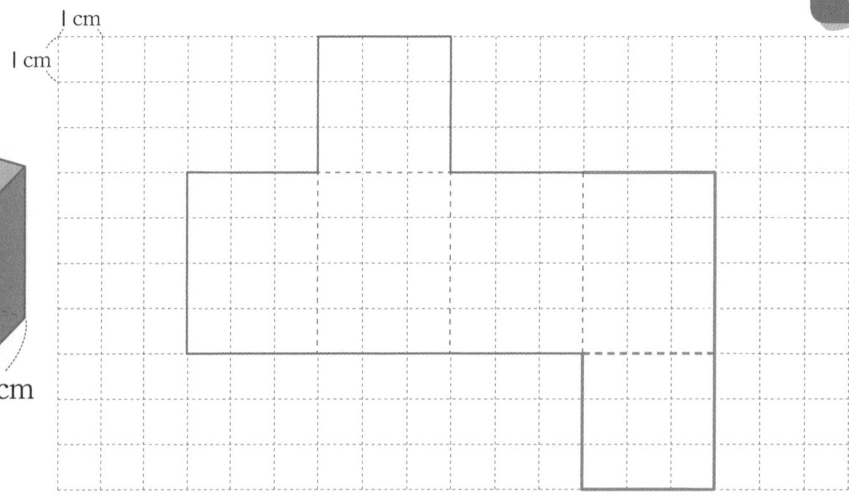

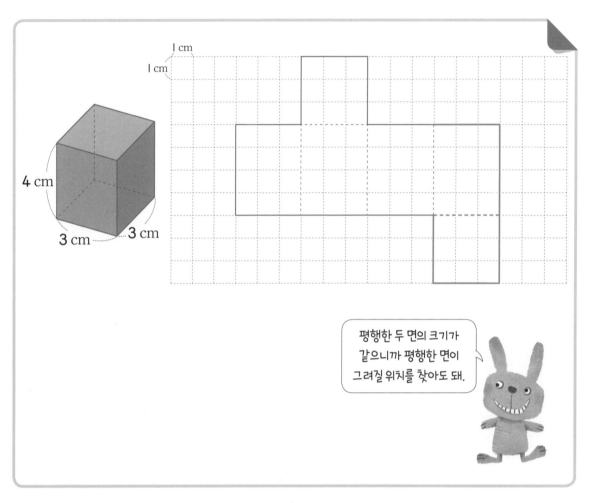

평행한 두 면의 크기가 같으니까 평행한 면이 그려질 위치를 찾아도 돼.

**1**

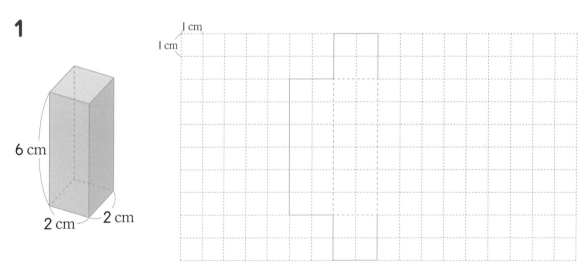

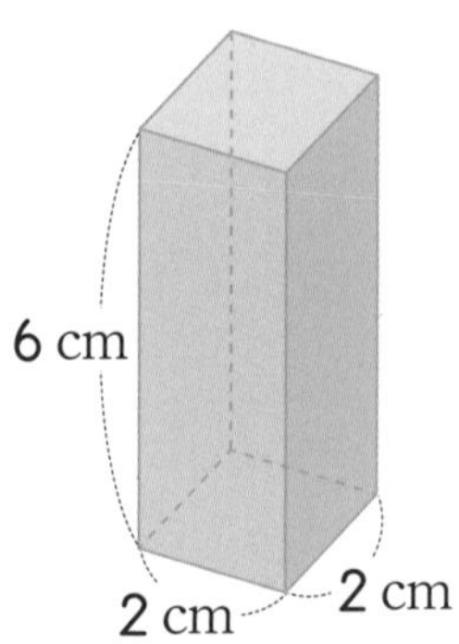


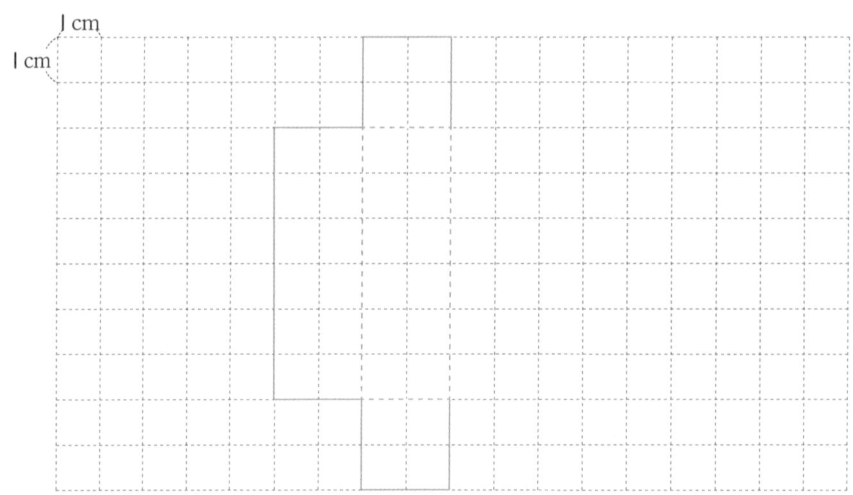

**2**

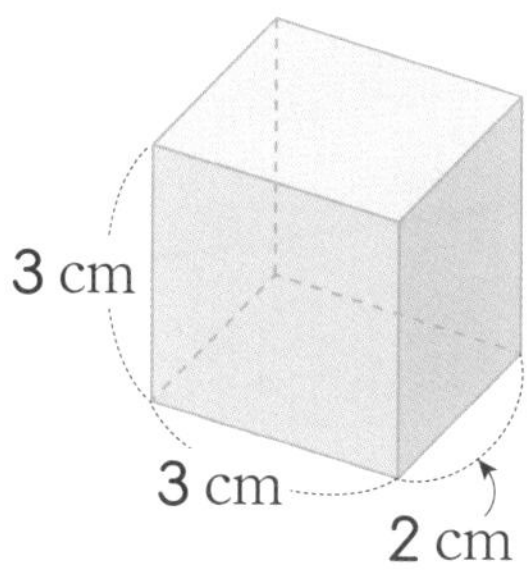

**3**

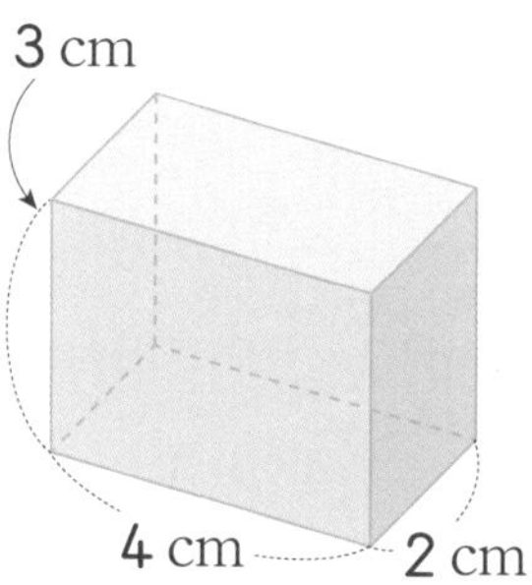

**4**

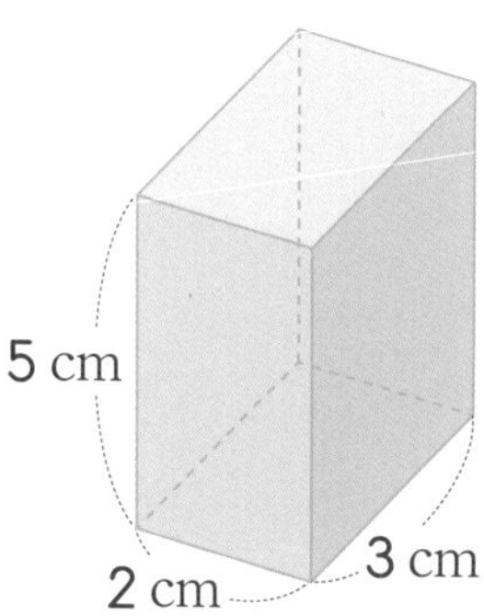


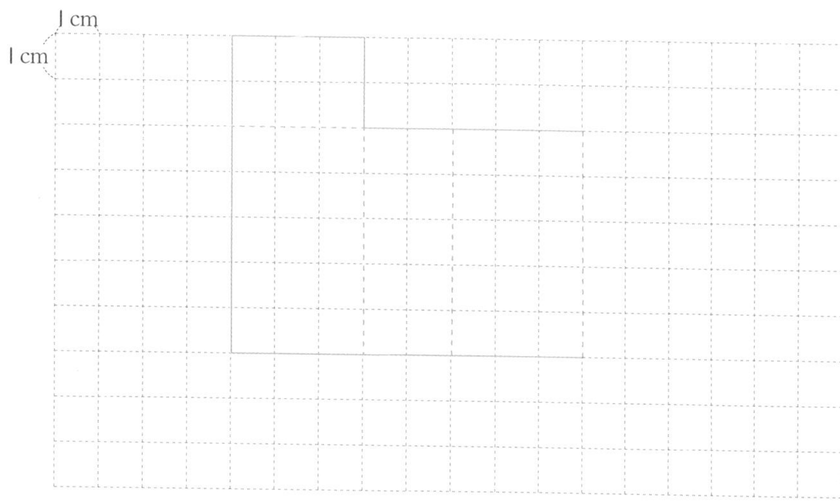

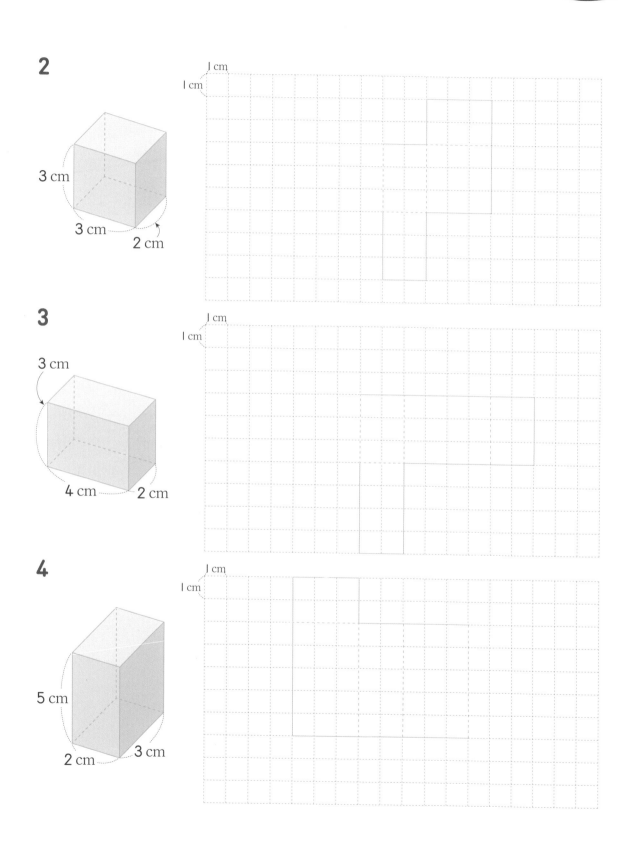

# 5일 전개도 접기

전개도를 접었을 때 만들어지는 직육면체에 ○표 하시오.

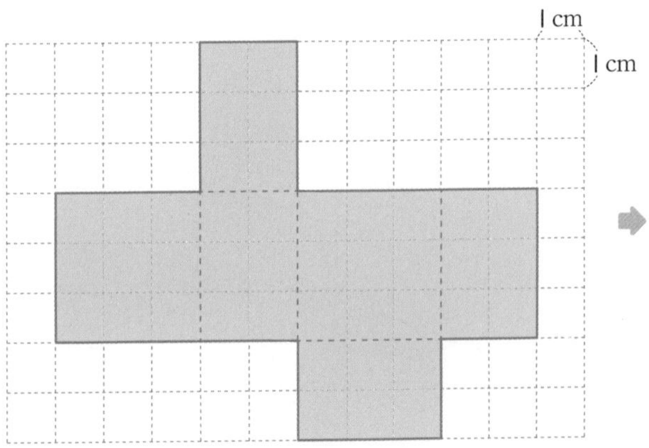


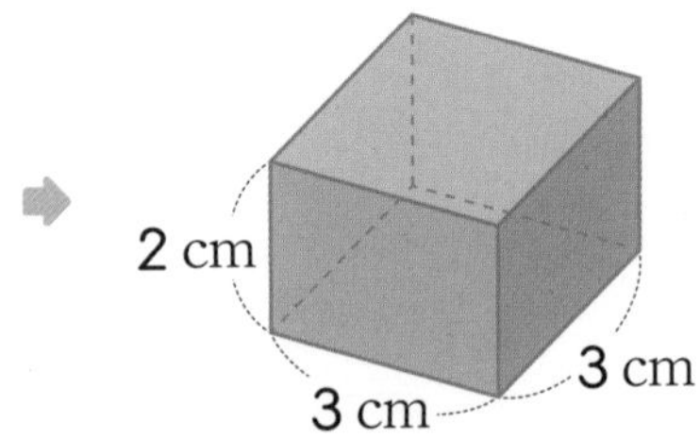

전개도의 면의 크기와
겨냥도의 면의 크기를
비교해 봐.


**1**

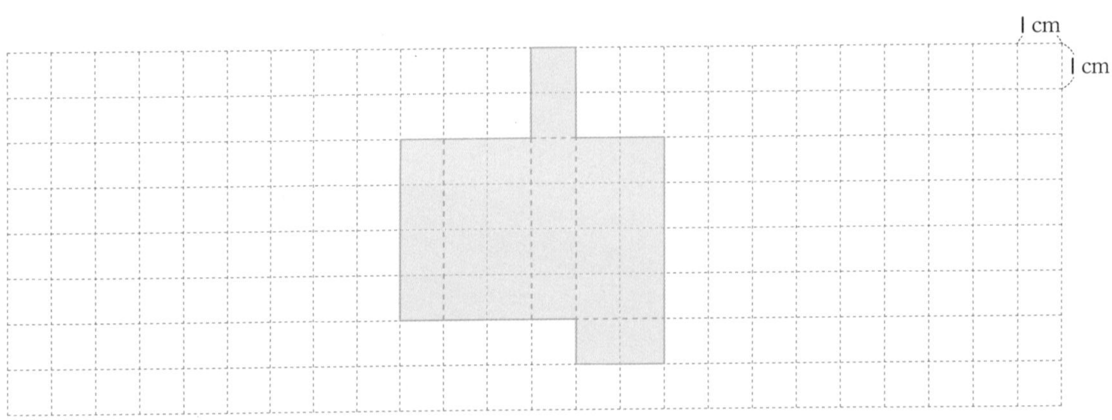


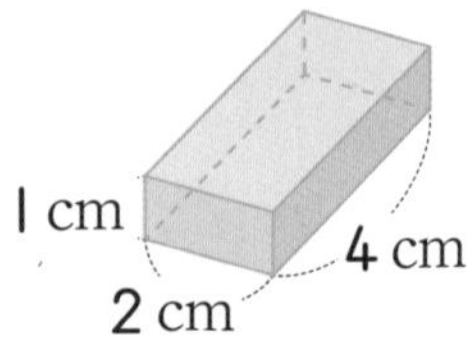


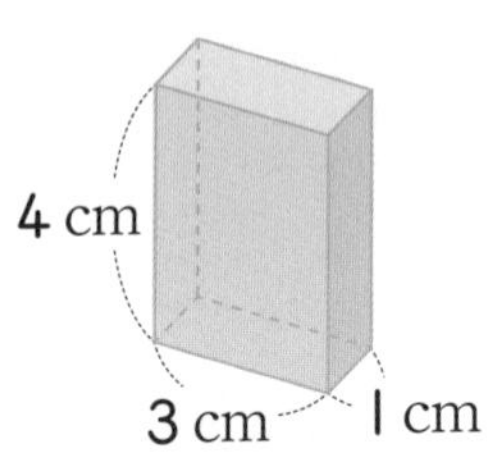


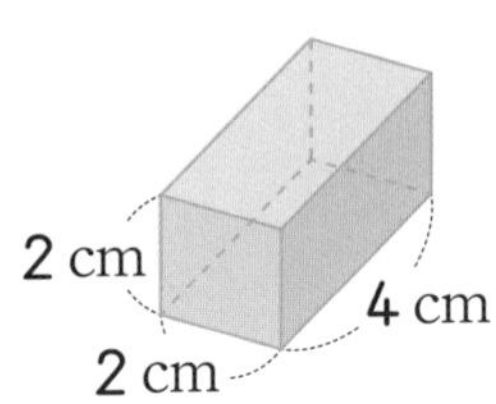


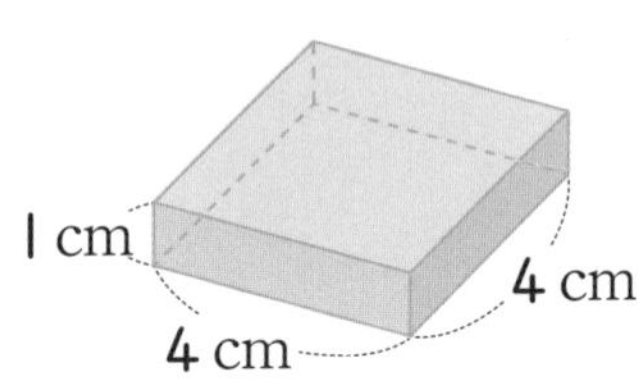

**2**

I cm
I cm


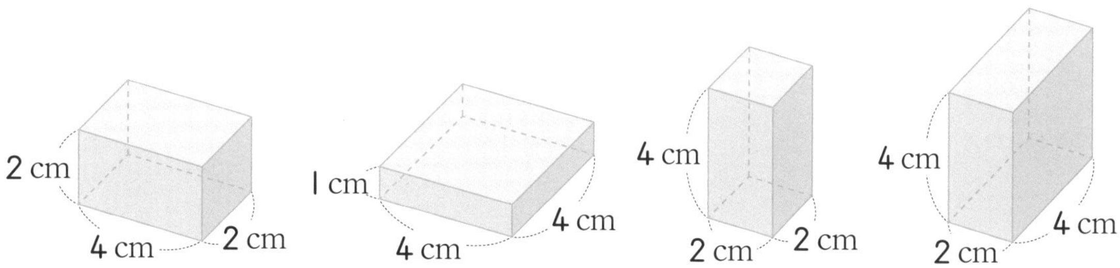

2 cm
4 cm
2 cm
I cm
4 cm
4 cm
4 cm
2 cm
2 cm
4 cm
2 cm
4 cm


**3**

I cm
I cm


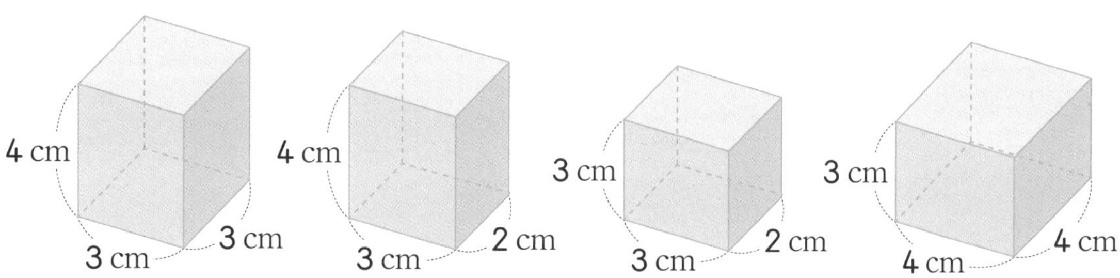

4 cm
3 cm
3 cm
4 cm
3 cm
2 cm
3 cm
3 cm
2 cm
3 cm
4 cm
4 cm

# 확인학습

직육면체의 전개도를 올바르게 그린 것에 ○표 하시오.

**1**

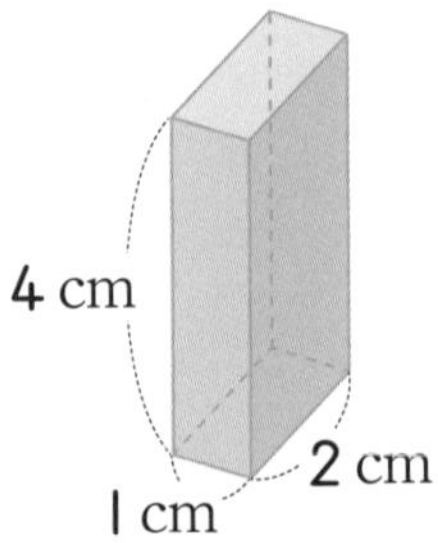


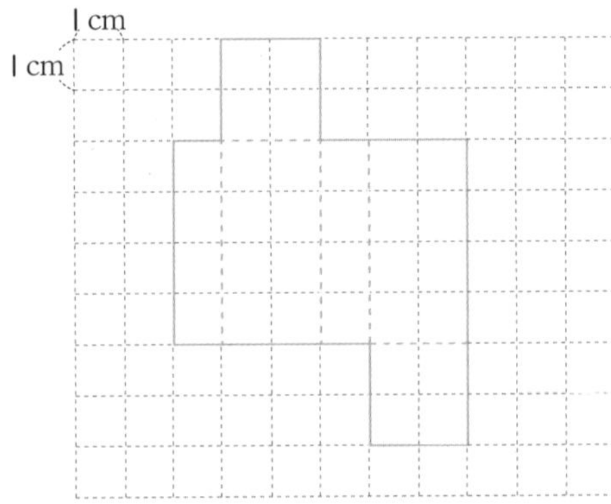


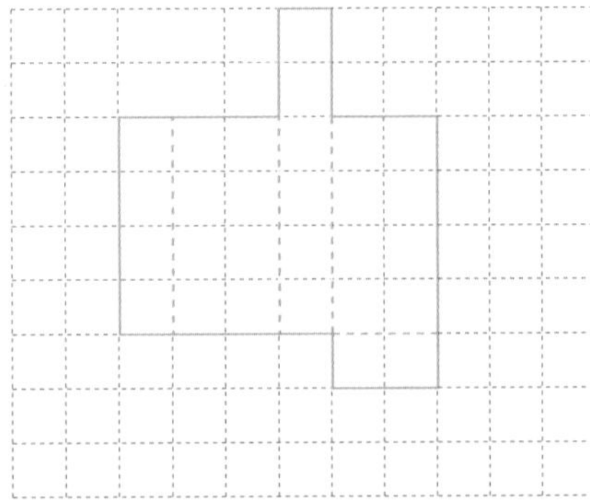

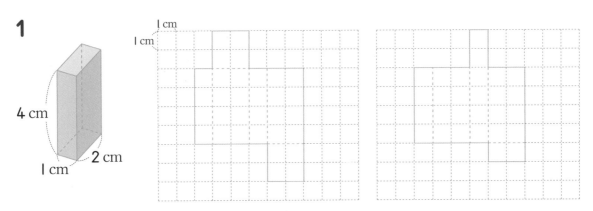

전개도에서 빠진 부분을 그려 넣으시오.

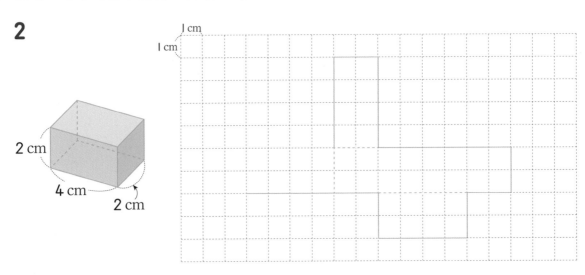

**2**

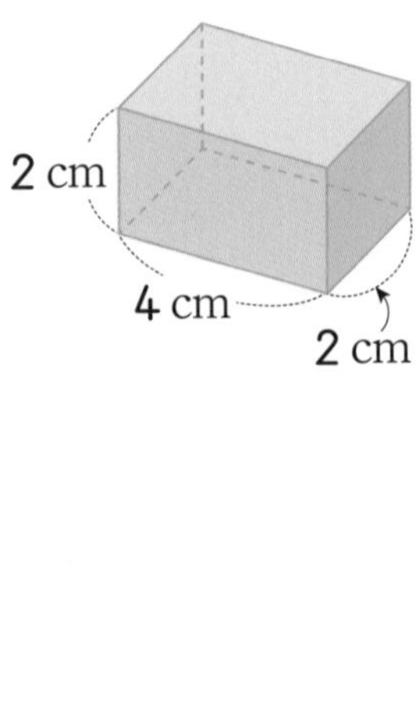


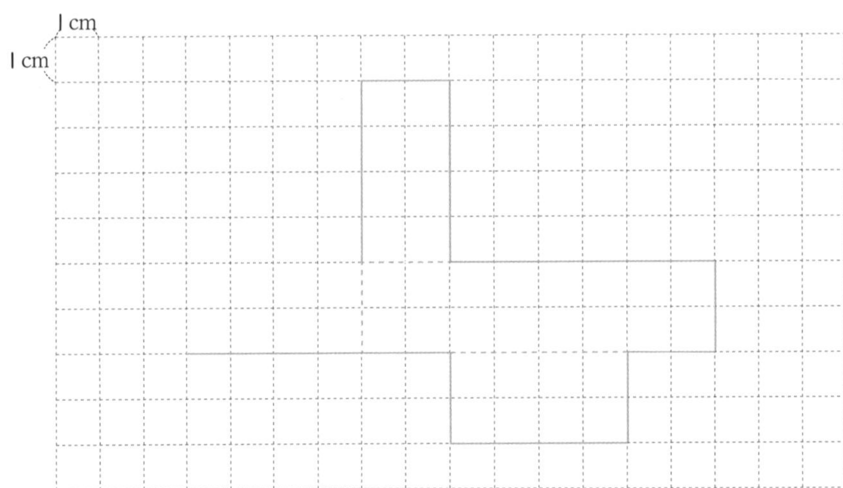

점선 부분에 알맞은 면을 연결하여 그려 전개도를 완성하시오.

**3**

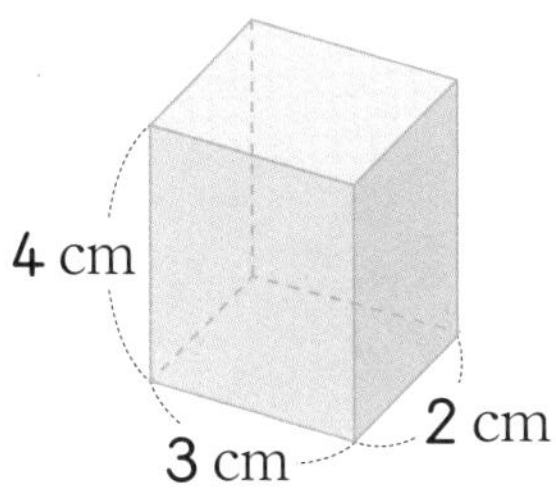

전개도를 접었을 때 만들어지는 직육면체에 ○표 하시오.

**4**

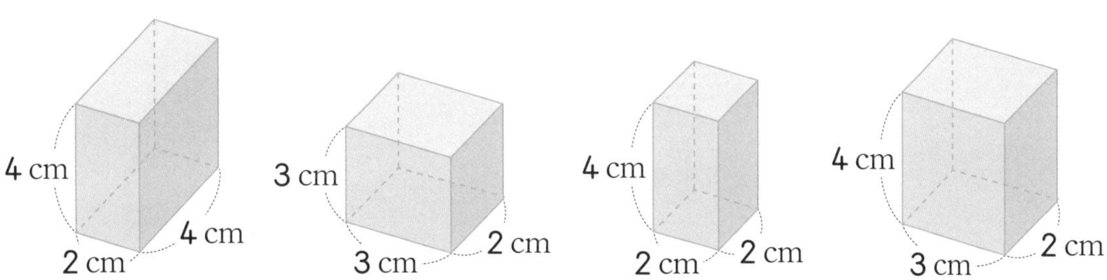

# 4주차

## 전개도와 대각선

# 1일 전개도의 대각선(1)

전개도의 면에 선을 그었습니다. 이 전개도로 직육면체를 만들었을 때 직육면체에 나타나는 선을 그려 보시오.

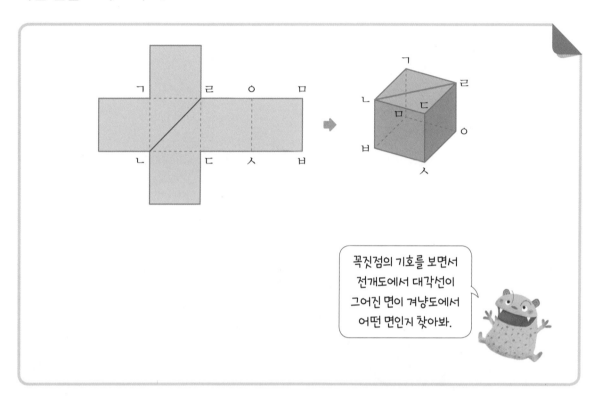

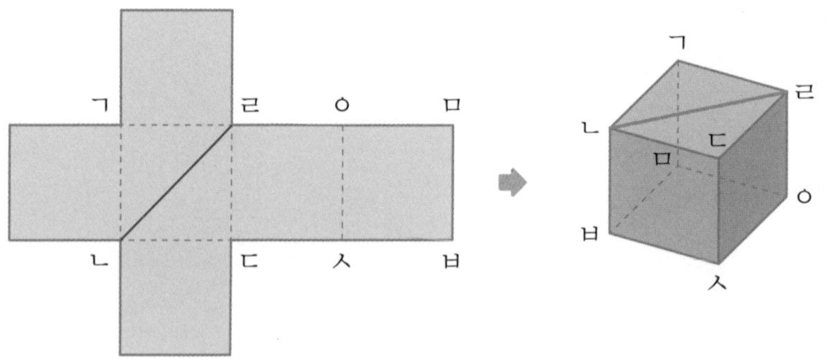

**1**

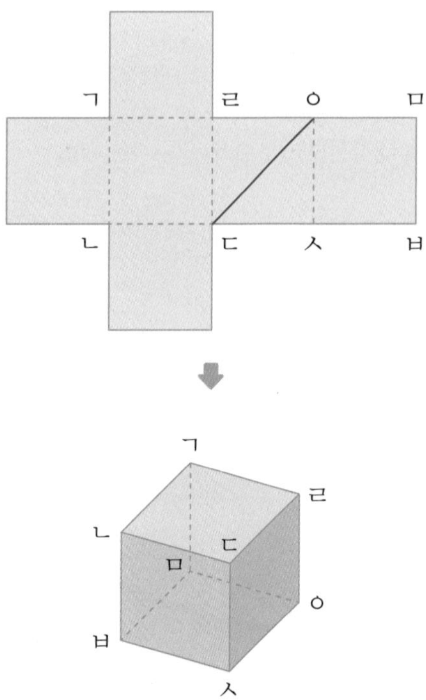


**2**

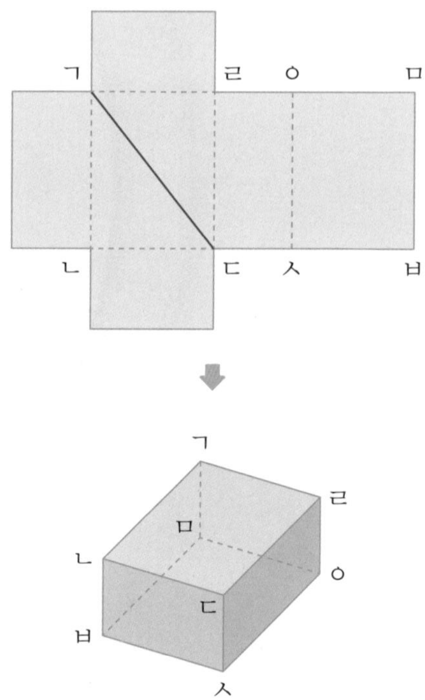

**3**

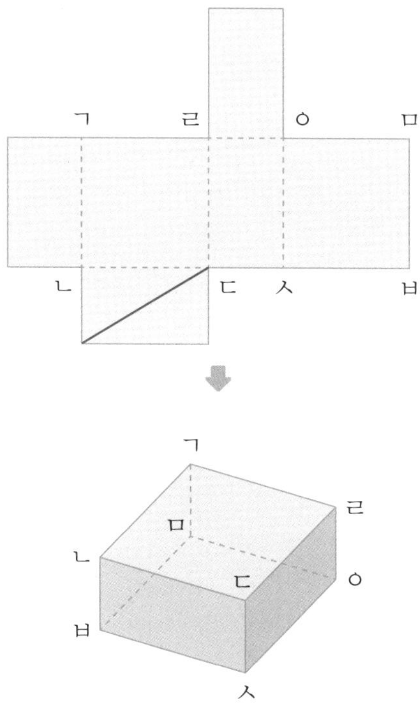
ㄱ ㄹ ㅇ ㅁ
ㄴ ㄷ ㅅ ㅂ
ㄱ ㄹ ㅁ ㄴ ㄷ ㅇ ㅂ ㅅ

**4**

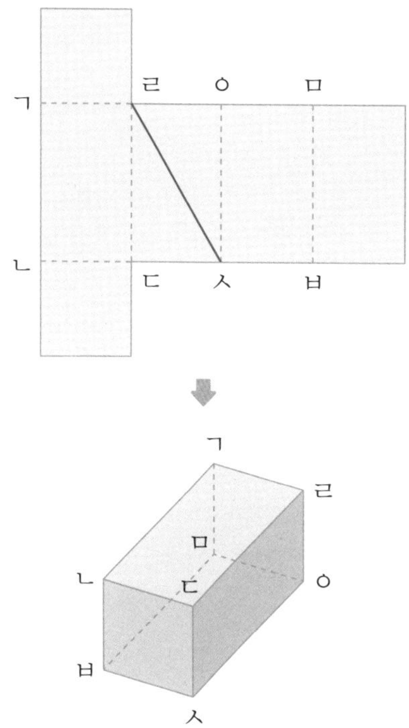
ㄹ ㅇ ㅁ
ㄱ
ㄴ
ㄷ ㅅ ㅂ
ㄱ ㄹ ㅁ ㄴ ㄷ ㅇ ㅂ ㅅ

**5**

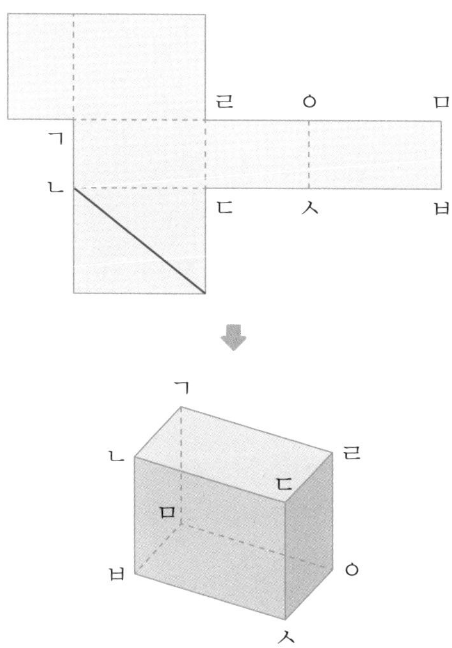
ㄹ ㅇ ㅁ
ㄱ
ㄴ
ㄷ ㅅ ㅂ
ㄱ ㄴ ㄹ ㄷ ㅁ ㅂ ㅇ ㅅ

**6**

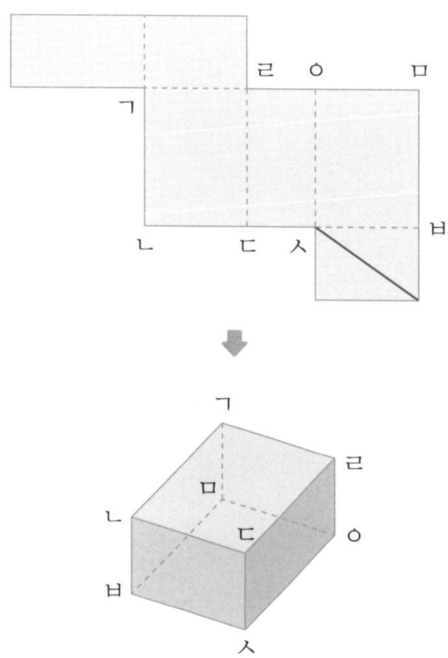
ㄹ ㅇ ㅁ
ㄱ
ㅂ
ㄴ ㄷ ㅅ
ㄱ ㄹ ㅁ ㄴ ㄷ ㅇ ㅂ ㅅ

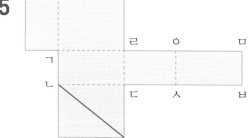

# 2일 전개도의 대각선(2)

✎ 전개도의 면에 선을 그었습니다. 이 전개도로 직육면체를 만들었을 때 직육면체에 나타나는 선을 그려 보시오.

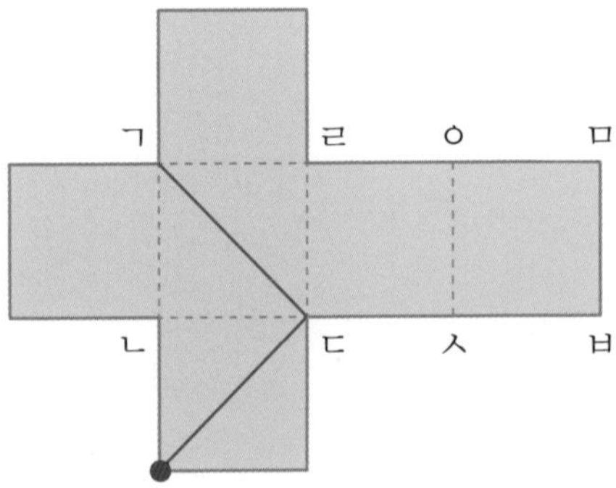


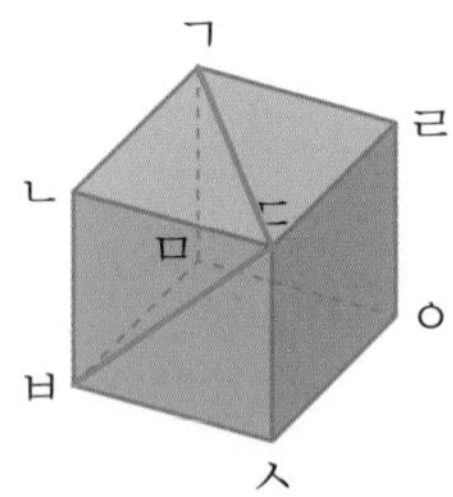

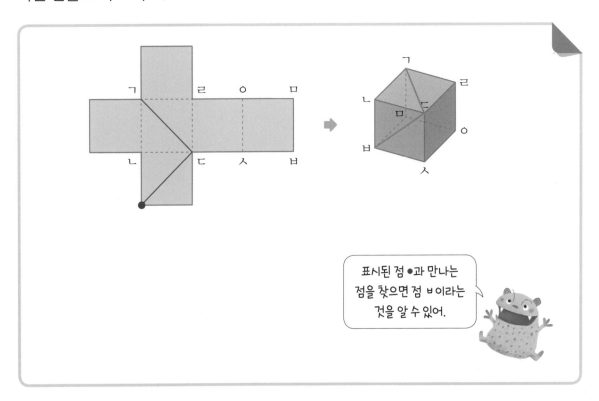

표시된 점 ●과 만나는 점을 찾으면 점 ㅂ이라는 것을 알 수 있어.

**1**

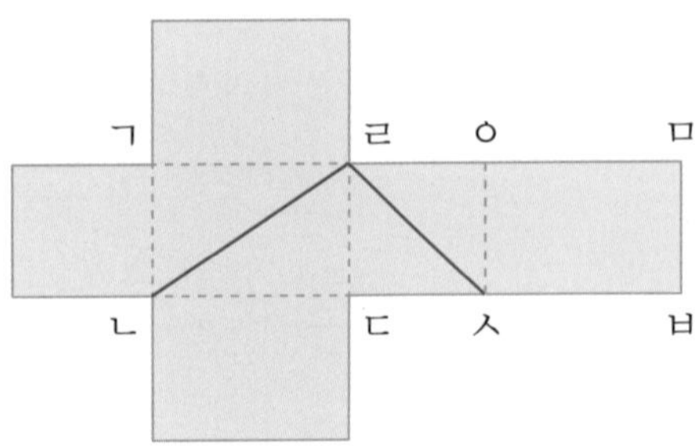


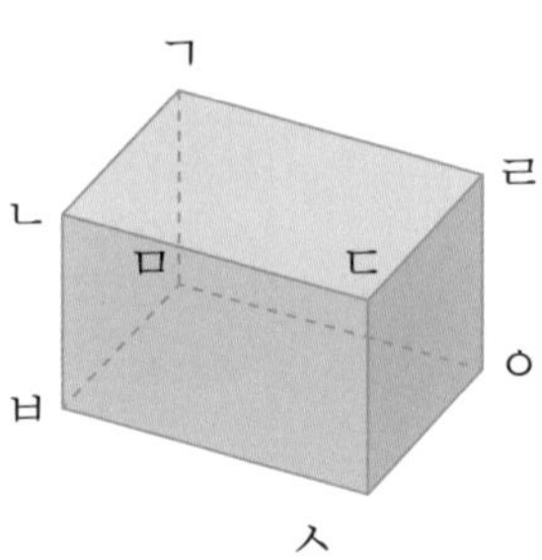


**2**

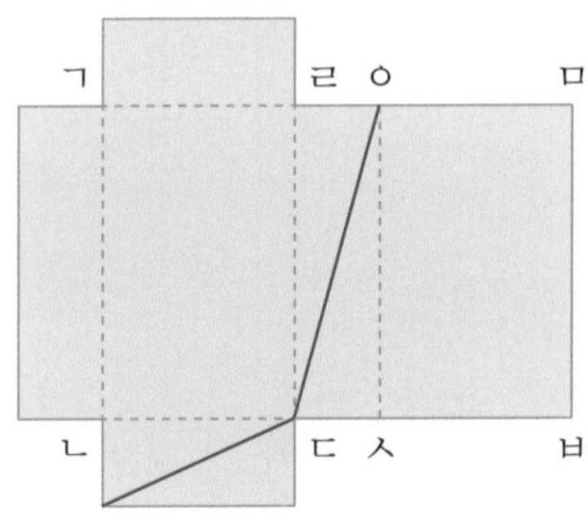


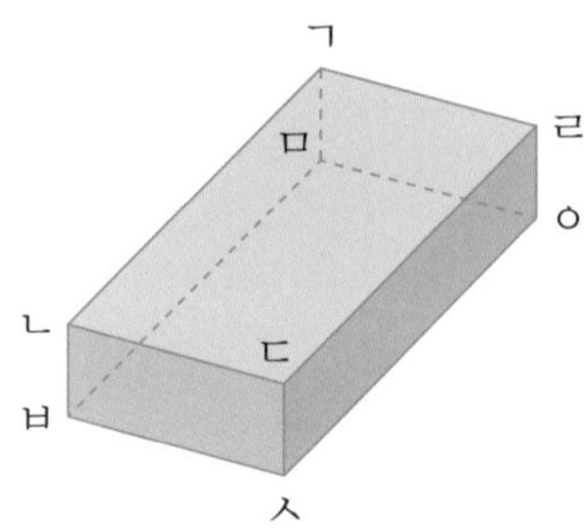

**3**

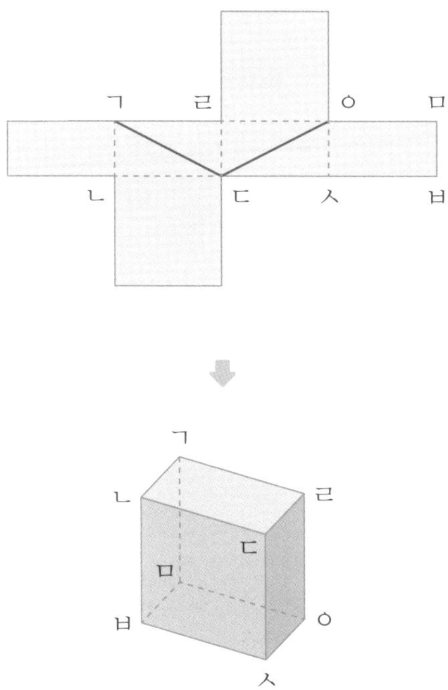


**4**

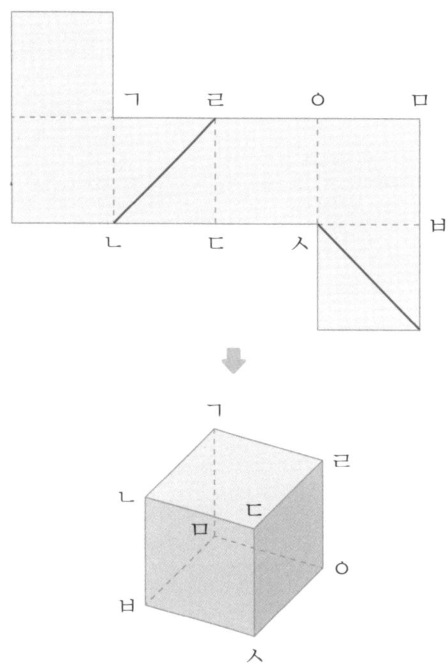


**5**

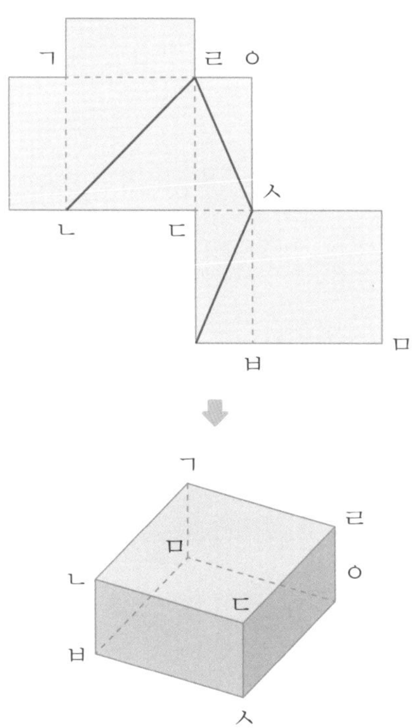


**6**

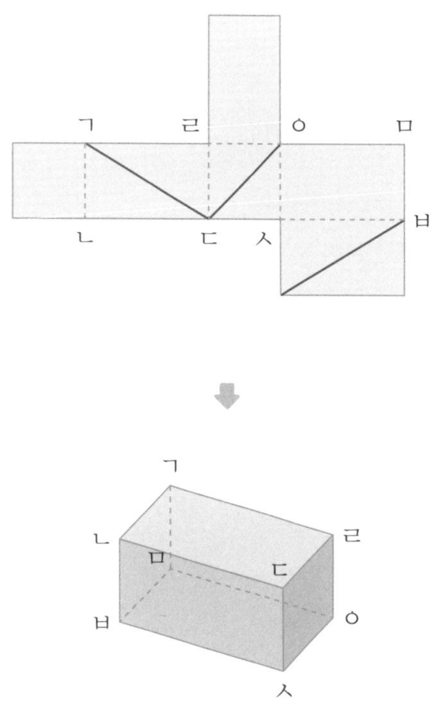

## 3일 겨냥도의 대각선(1)

직육면체의 면에 선을 그었습니다. 직육면체를 펼쳤을 때 전개도에 나타나는 선을 그려 보시오.

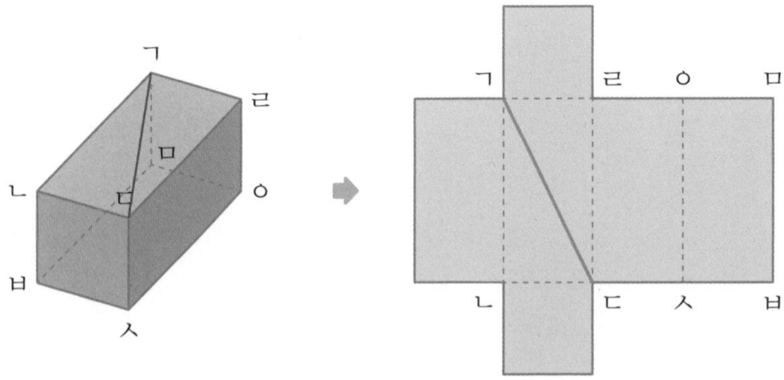

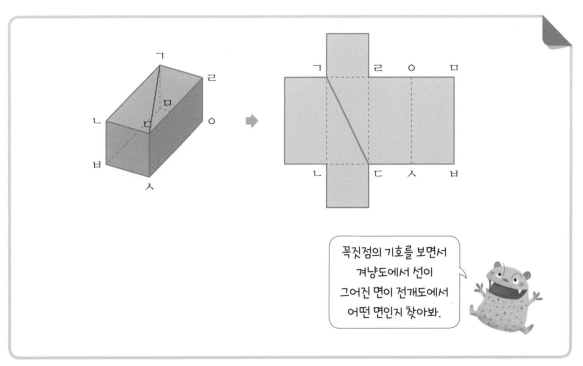

꼭짓점의 기호를 보면서 겨냥도에서 선이 그어진 면이 전개도에서 어떤 면인지 찾아봐.

**1**

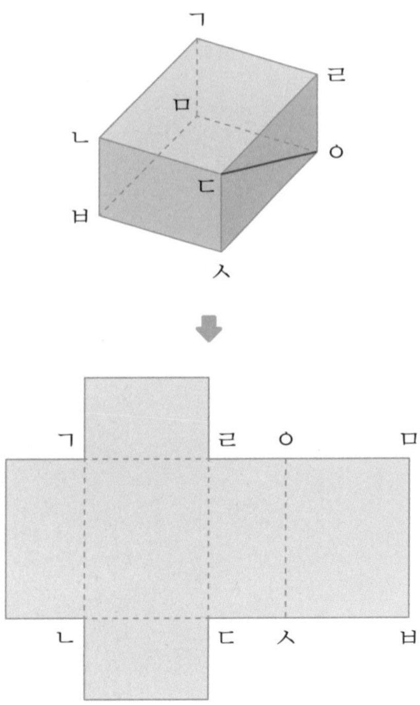


**2**

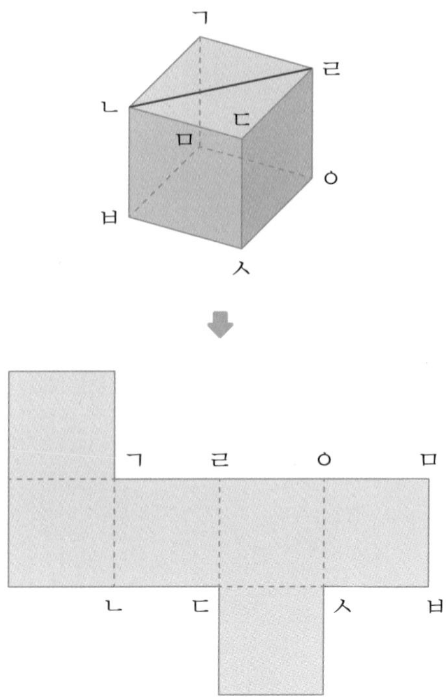

**3**

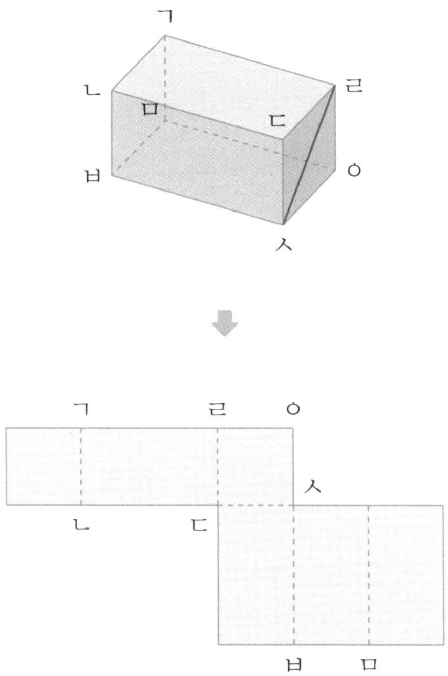
ㄱ
ㄴ
ㅁ
ㄷ
ㄹ
ㅂ
ㅇ
ㅅ
ㄱ ㄹ ㅇ
ㅅ
ㄴ ㄷ
ㅂ ㅁ

**4**

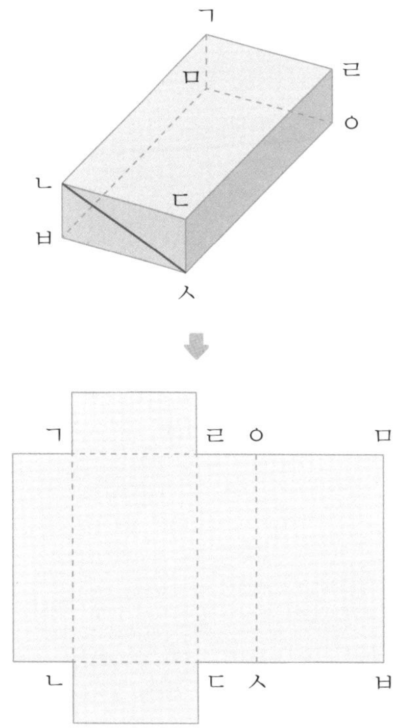
ㄱ
ㅁ
ㄹ
ㅇ
ㄴ
ㄷ
ㅂ
ㅅ
ㄱ ㄹ ㅇ ㅁ
ㄴ ㄷ ㅅ ㅂ

**5**

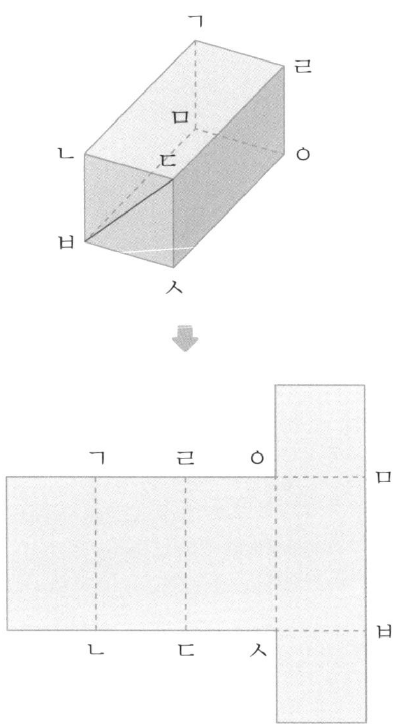
ㄱ
ㄹ
ㅁ
ㄴ
ㄷ
ㅇ
ㅂ
ㅅ
ㄱ ㄹ ㅇ
ㅁ
ㅂ
ㄴ ㄷ ㅅ

**6**

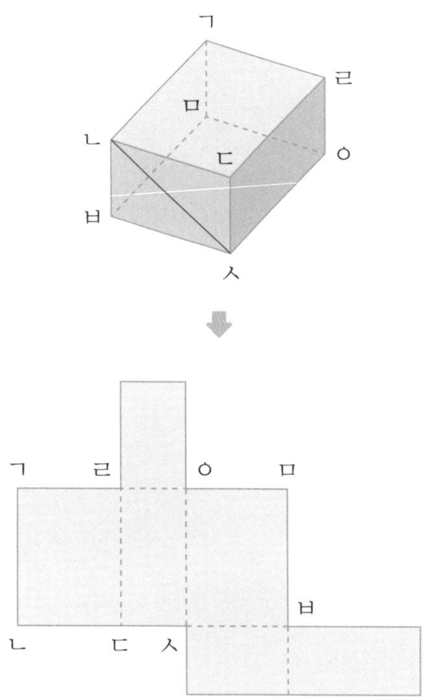
ㄱ
ㄹ
ㅁ
ㄴ
ㄷ
ㅇ
ㅂ
ㅅ
ㄱ ㄹ ㅇ ㅁ
ㅂ
ㄴ ㄷ ㅅ

# 4일 겨냥도의 대각선(2)

직육면체의 면에 선을 그었습니다. 직육면체를 펼쳤을 때 전개도에 나타나는 선을 그려 보시오.

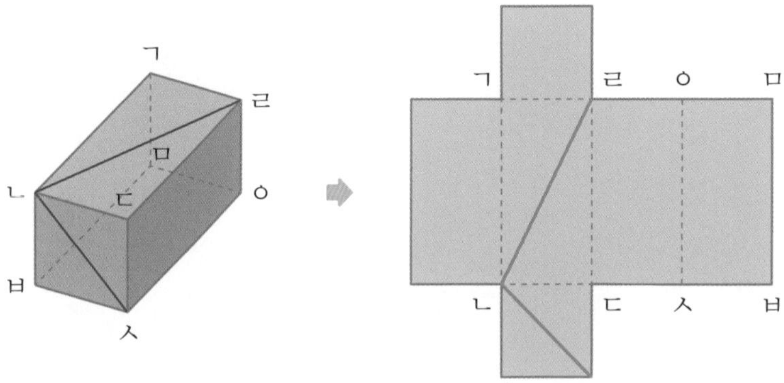

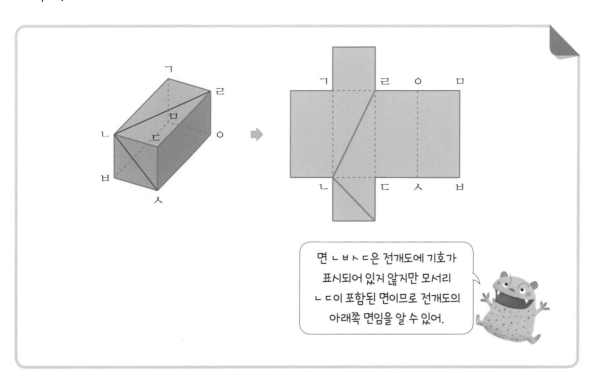

면 ㄴㅂㅅㄷ은 전개도에 기호가 표시되어 있지 않지만 모서리 ㄴㄷ이 포함된 면이므로 전개도의 아래쪽 면임을 알 수 있어.

**1**

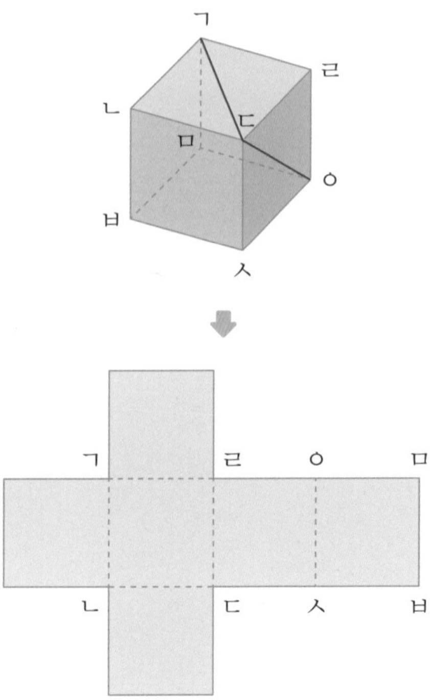


**2**

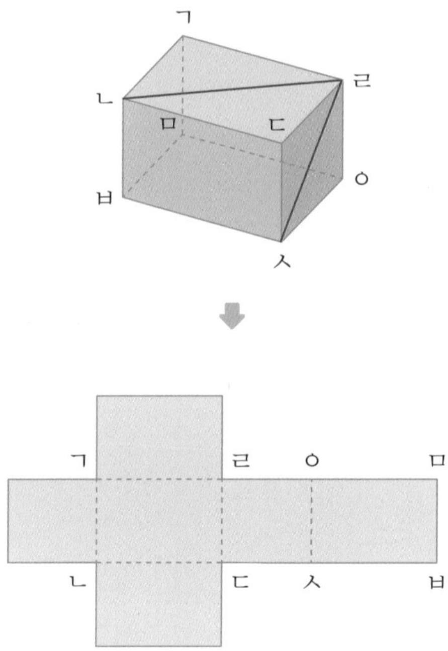

3

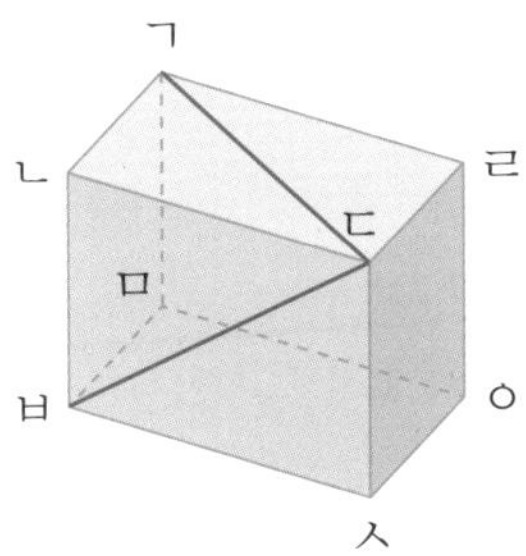
ㄱ
ㄴ
ㄷ
ㄹ
ㅁ
ㅂ
ㅅ
ㅇ

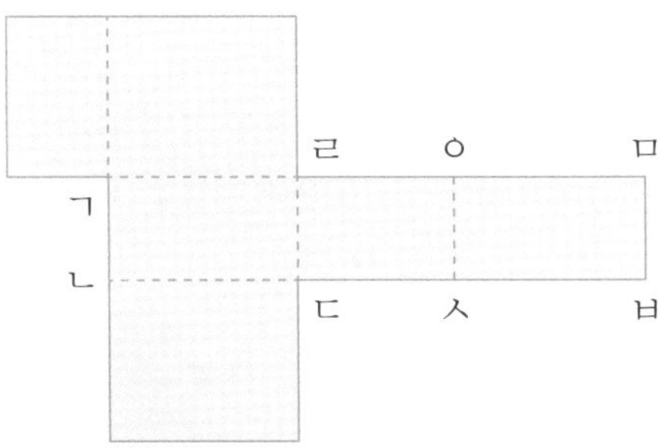
ㄹ ㅇ ㅁ
ㄱ
ㄴ
ㄷ ㅅ ㅂ

4

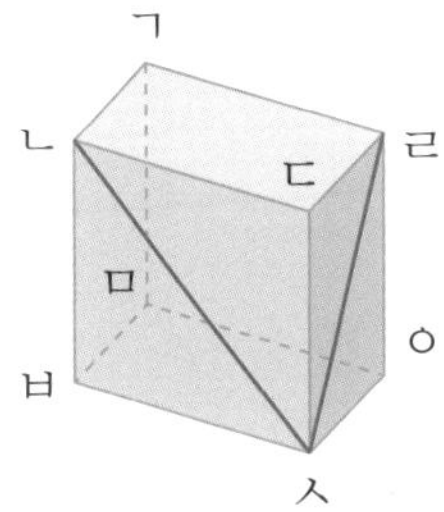
ㄱ
ㄴ
ㄷ
ㄹ
ㅁ
ㅂ
ㅅ
ㅇ

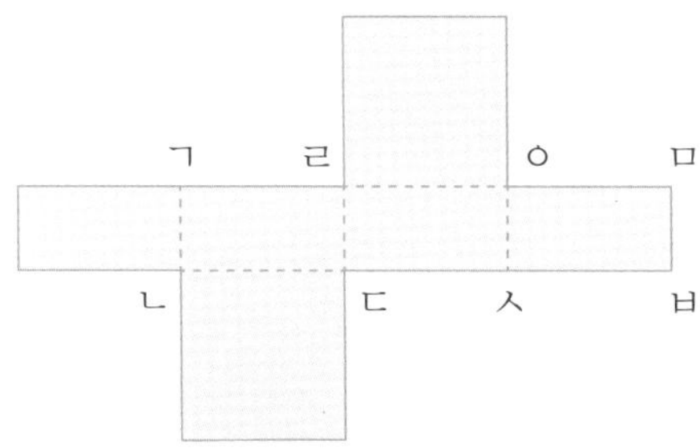
ㄱ ㄹ ㅇ ㅁ
ㄴ ㄷ ㅅ ㅂ

5

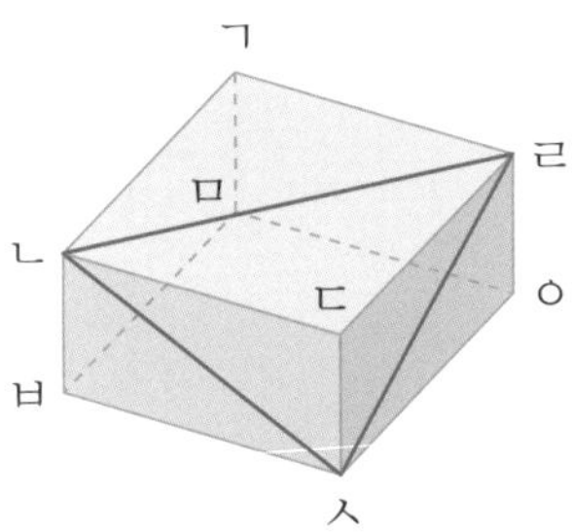
ㄱ
ㄹ
ㅁ
ㄴ
ㄷ
ㅇ
ㅂ
ㅅ

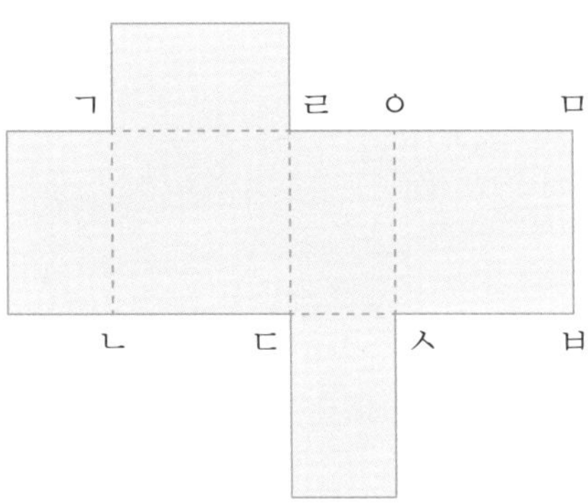
ㄱ ㄹ ㅇ ㅁ
ㄴ ㄷ ㅅ ㅂ

6

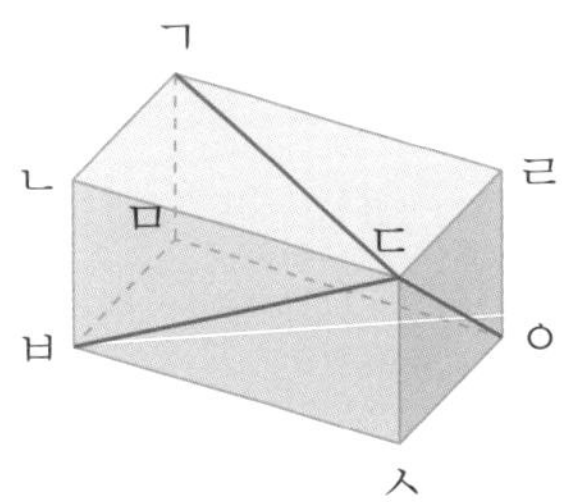
ㄱ
ㄹ
ㄴ
ㅁ
ㄷ
ㅂ
ㅇ
ㅅ

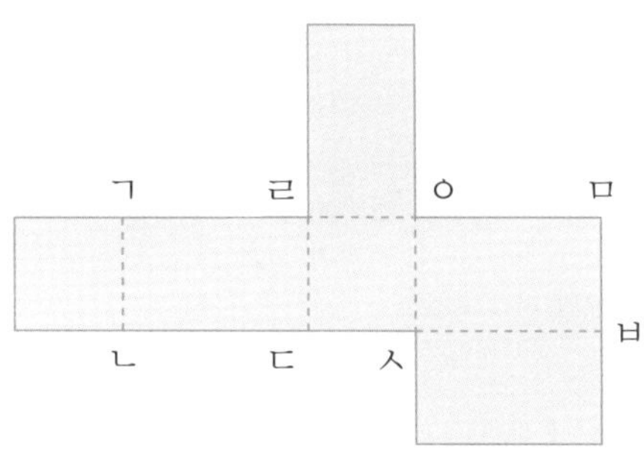
ㄱ ㄹ ㅇ ㅁ
ㅂ
ㄴ ㄷ ㅅ

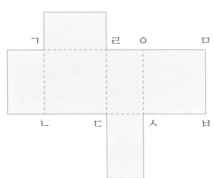

# 5일 전개도 접기

전개도의 면에 선을 그었습니다. 이 전개도로 만들어지는 직육면체에 ○표 하시오.

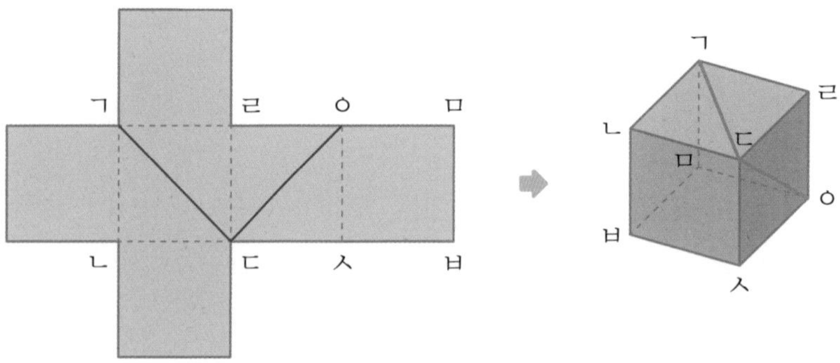

전개도의 점 ㄷ에서 두 선이
만나므로 겨냥도에서도
점 ㄷ에서 두 선이 만나.


**1**

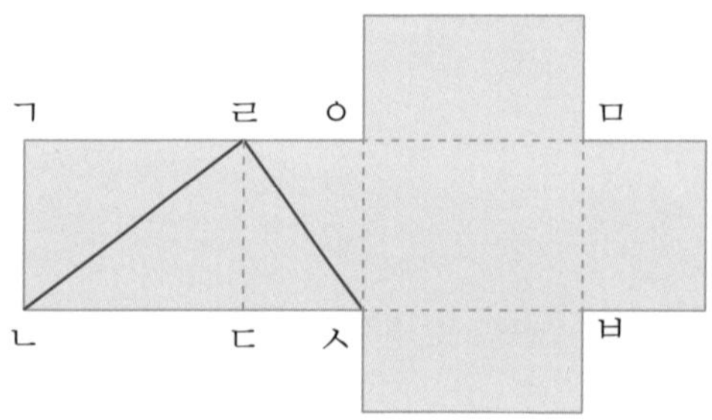


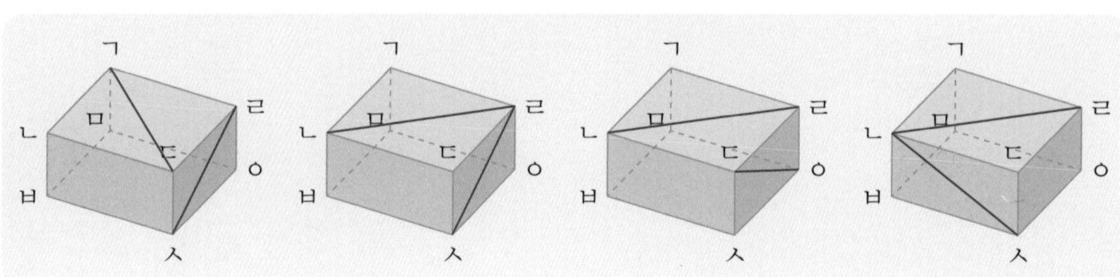

## 2

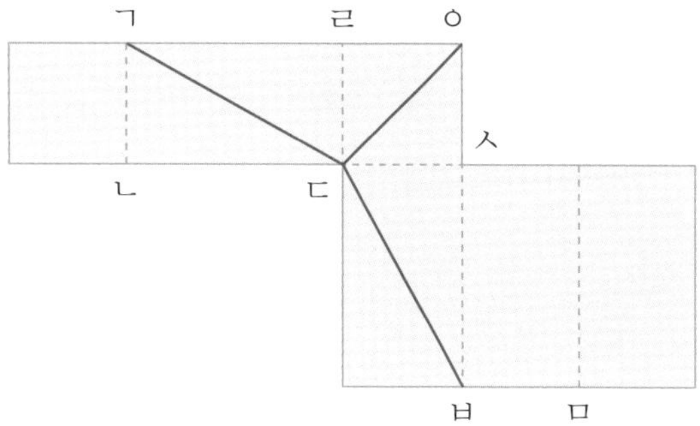


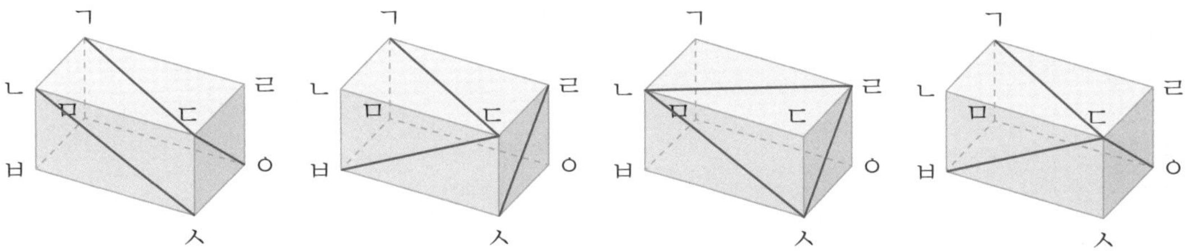


## 3

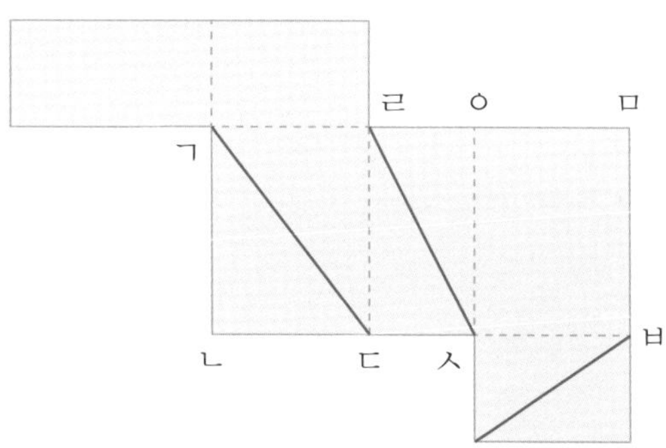


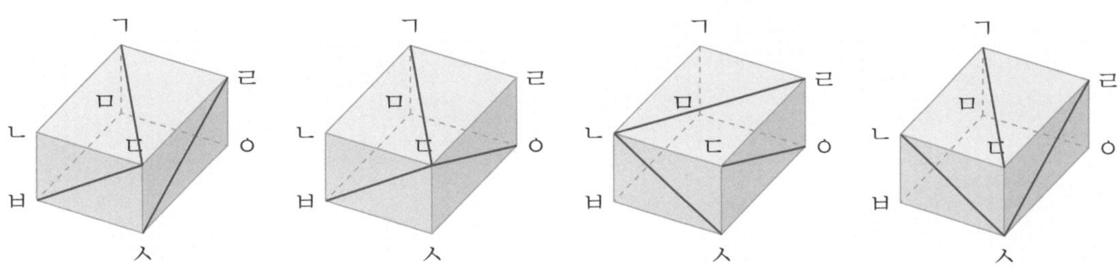

# 확인학습

전개도의 면에 선을 그었습니다. 이 전개도로 직육면체를 만들었을 때 직육면체에 나타나는 선을 그려 보시오.

**1**

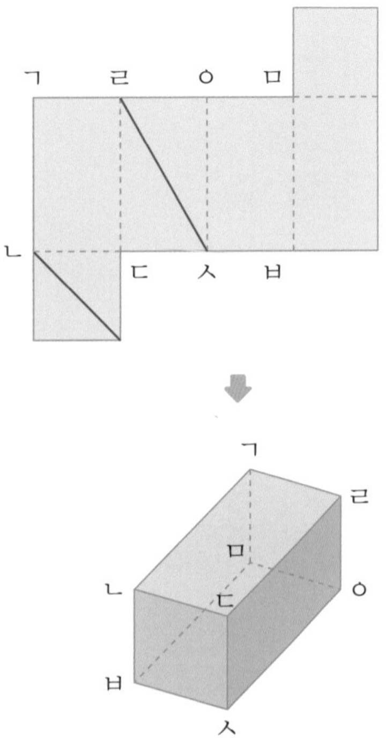


**2**

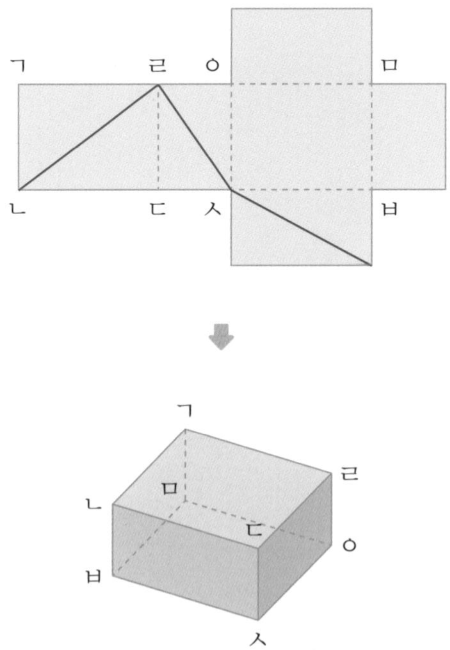


직육면체의 면에 선을 그었습니다. 직육면체를 펼쳤을 때 전개도에 나타나는 선을 그려 보시오.

**3**

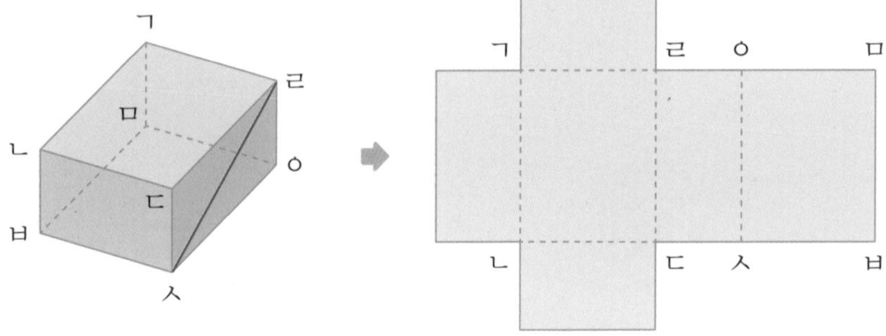

직육면체의 면에 선을 그었습니다. 직육면체를 펼쳤을 때 전개도에 나타나는 선을 그려 보시오.

**4**

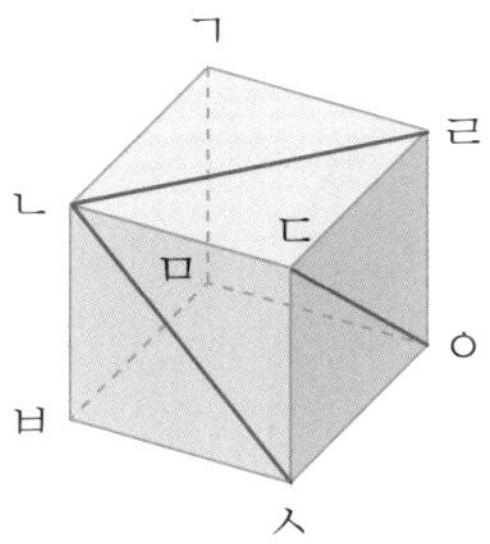


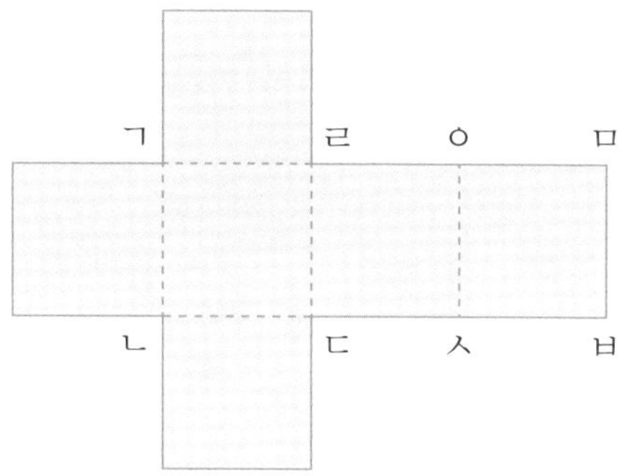


전개도의 면에 선을 그었습니다. 이 전개도로 만들어지는 직육면체에 ◯표 하시오.

**5**

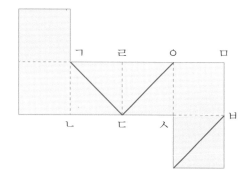

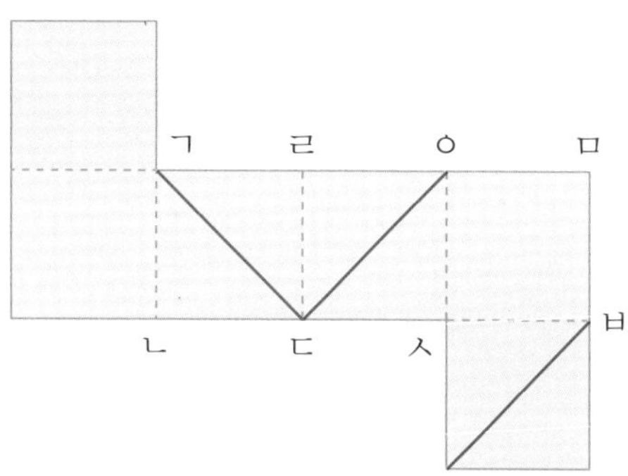


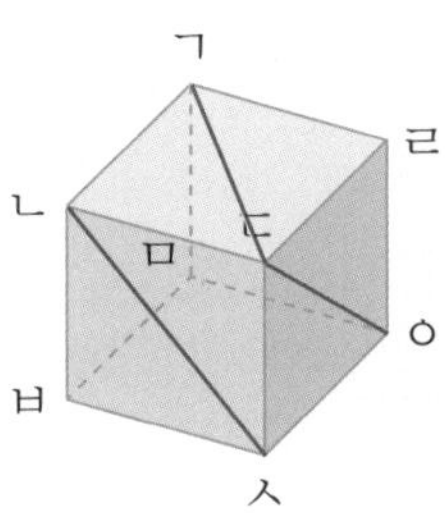


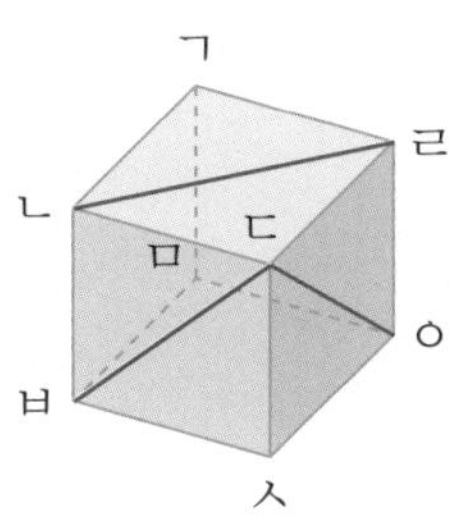


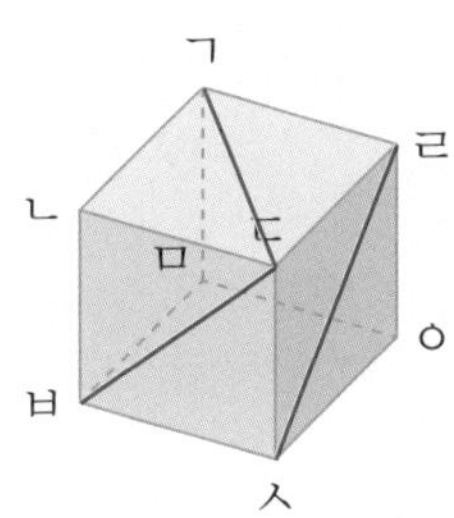


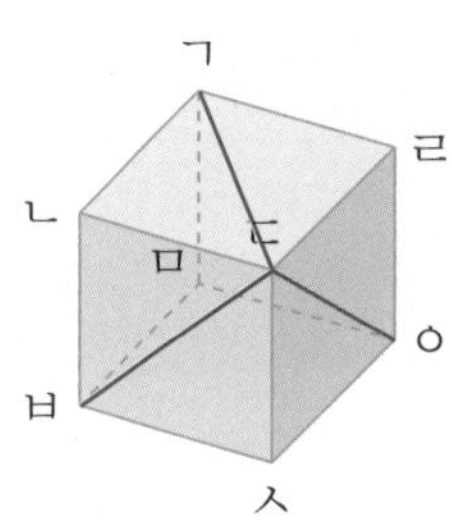

# 형성 평가

✤ 형성 평가에는 앞서 공부한 4주 차의 유형이 순서대로 나옵니다.

✤ 문제가 틀리면 몇 주 차인지 확인하여 반드시 다시 한번 복습합니다.

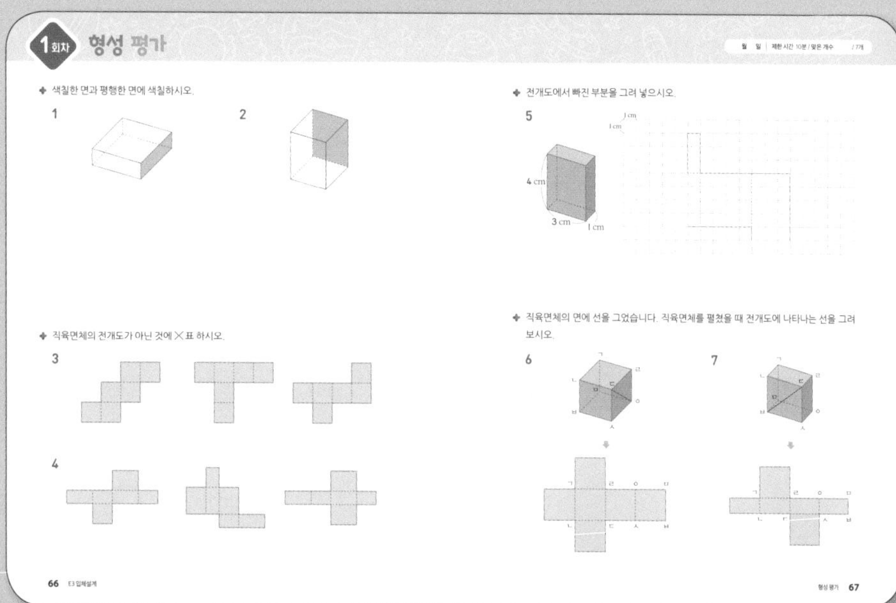

1회차 형성 평가

월 일 | 제한 시간 10분 / 맞은 개수 / 7개

✤ 색칠한 면과 평행한 면에 색칠하시오.

1

2

✤ 직육면체의 전개도가 아닌 것에 ╳표 하시오.

3

4

✤ 전개도에서 빠진 부분을 그려 넣으시오.

5

1 cm 1 cm 4 cm 3 cm 1 cm

✤ 직육면체의 면에 선을 그었습니다. 직육면체를 펼쳤을 때 전개도에 나타나는 선을 그려 보시오.

6

7

66

형성 평가 67

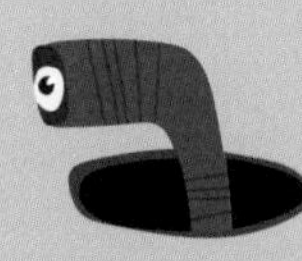

✤ 색칠한 면과 평행한 면에 색칠하시오.

1

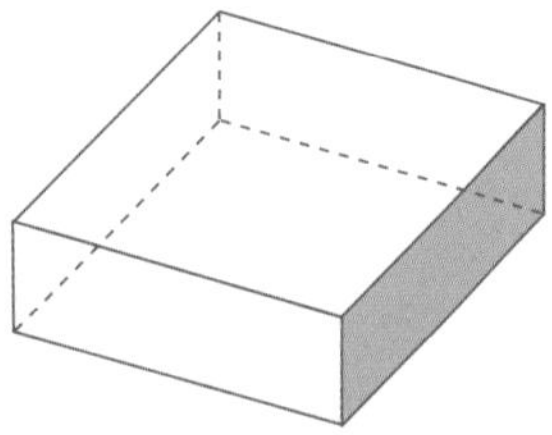

2

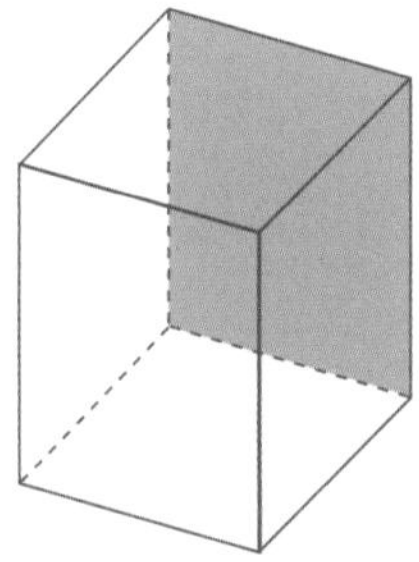

✤ 직육면체의 전개도가 아닌 것에 ×표 하시오.

3

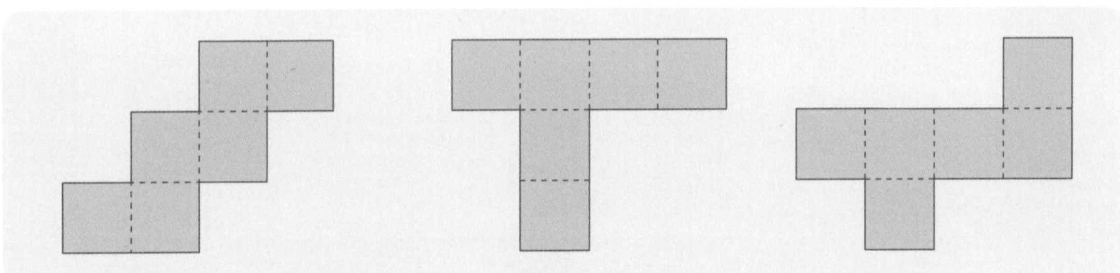

4

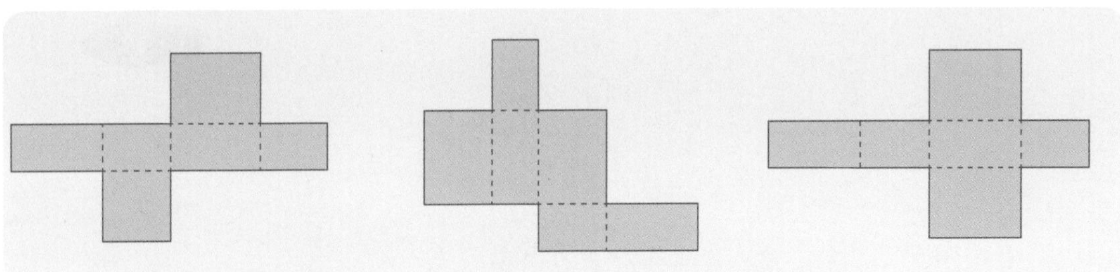

✚ 전개도에서 빠진 부분을 그려 넣으시오.

**5**

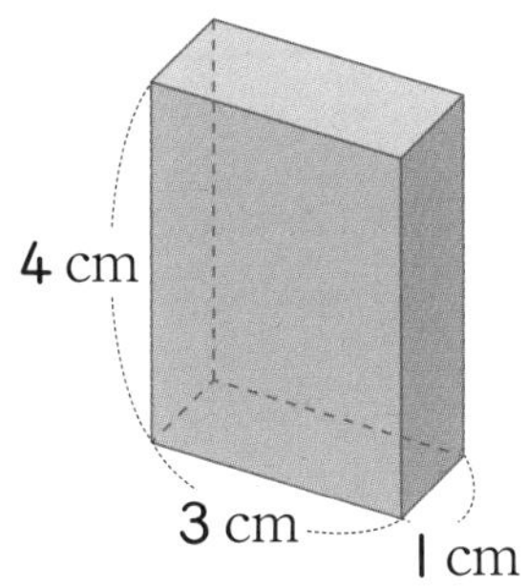


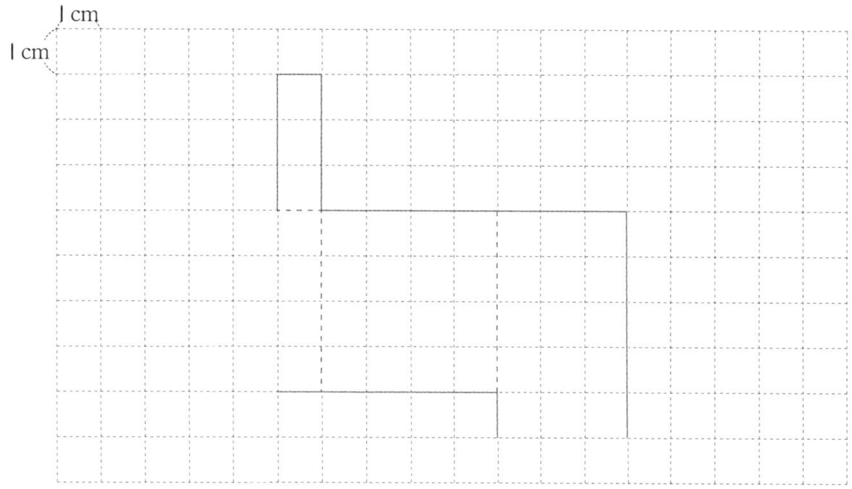


✚ 직육면체의 면에 선을 그었습니다. 직육면체를 펼쳤을 때 전개도에 나타나는 선을 그려 보시오.

**6**

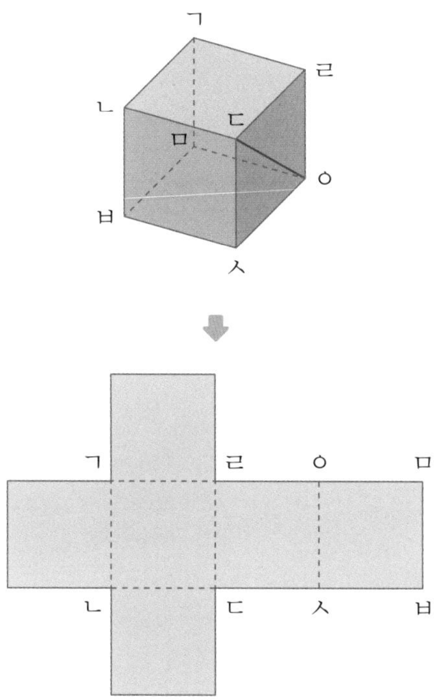


**7**

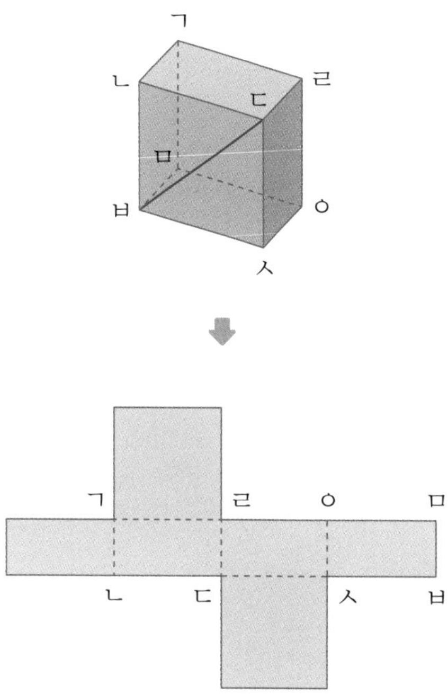

✚ 색칠한 면과 수직인 면이 아닌 것에 ╳표 하시오.

**1**

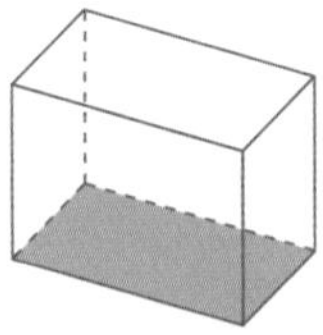

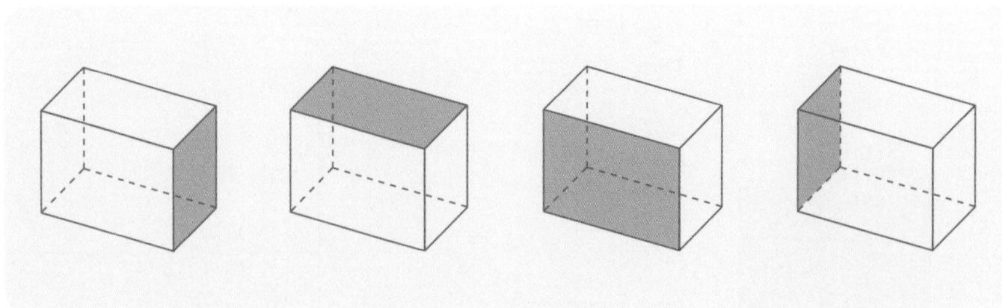

**2**

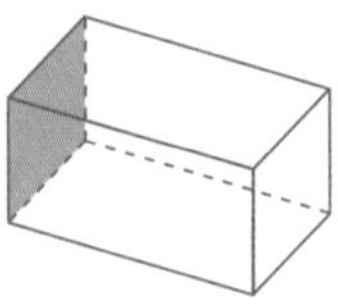

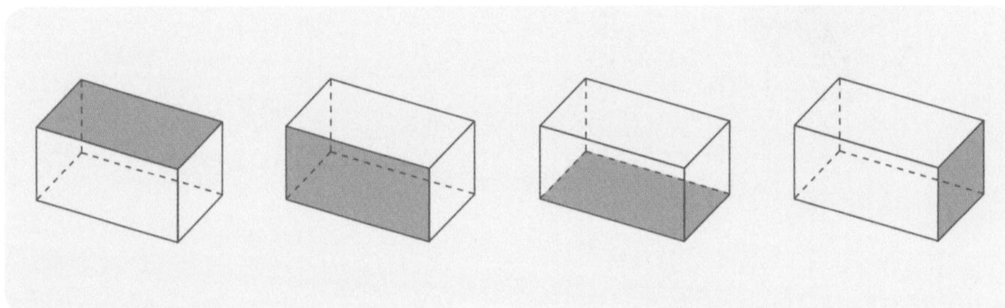

✚ 전개도를 접었을 때 표시된 선분과 만나는 선분을 찾아 ◯로 표시해 보시오.

**3**

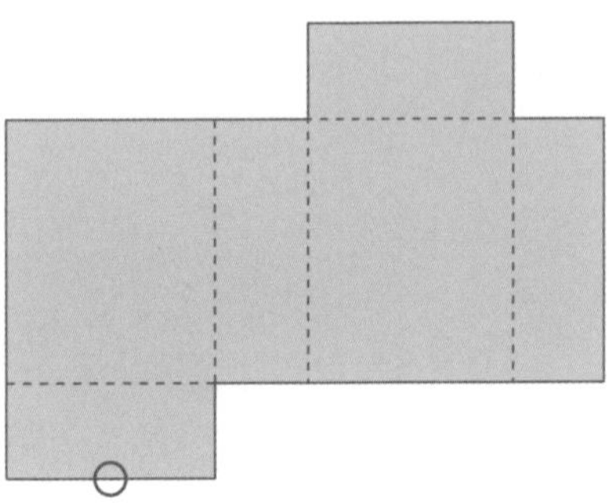

**4**

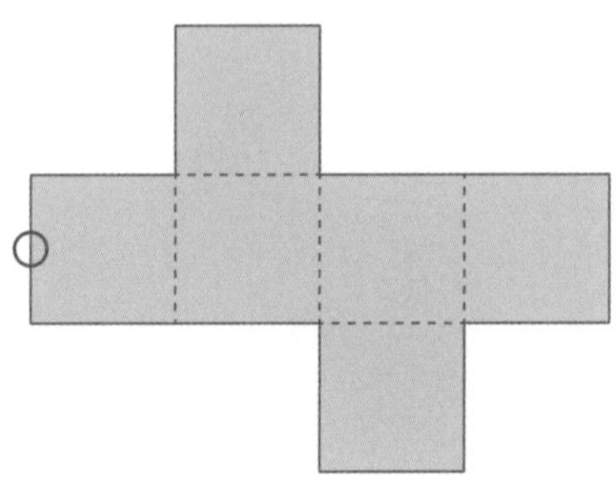

✚ 점선 부분에 알맞은 면을 연결하여 그려 전개도를 완성하시오.

**5**

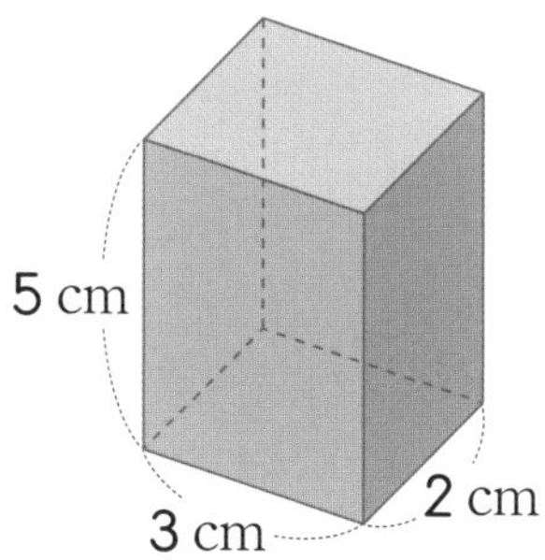


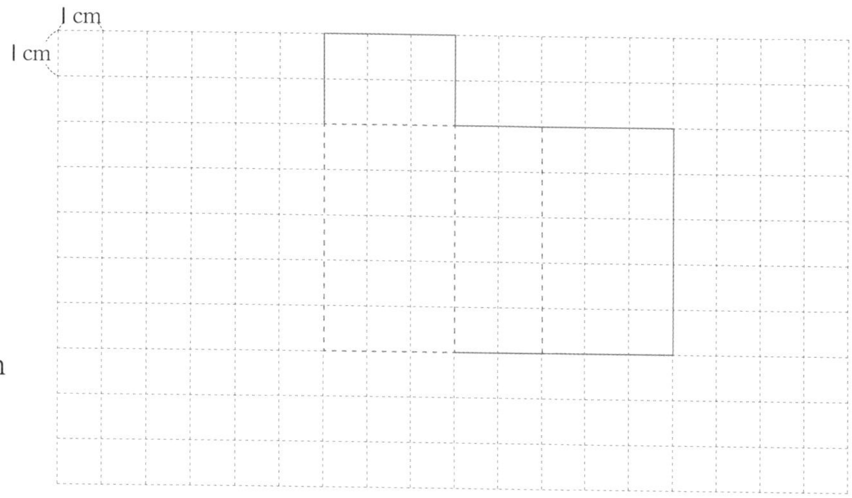


✚ 직육면체의 면에 선을 그었습니다. 직육면체를 펼쳤을 때 전개도에 나타나는 선을 그려 보시오.

**6**

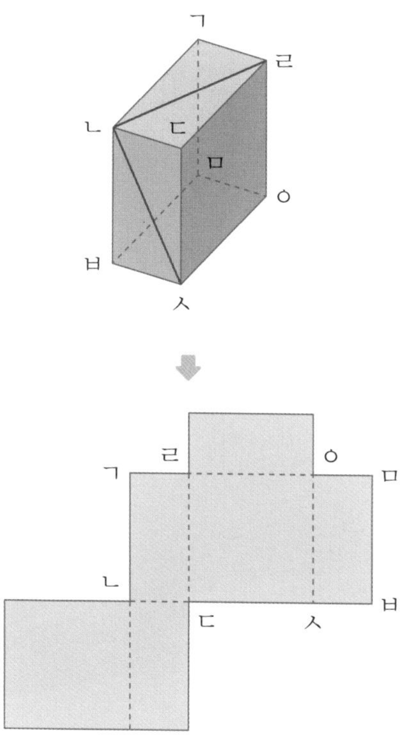


**7**

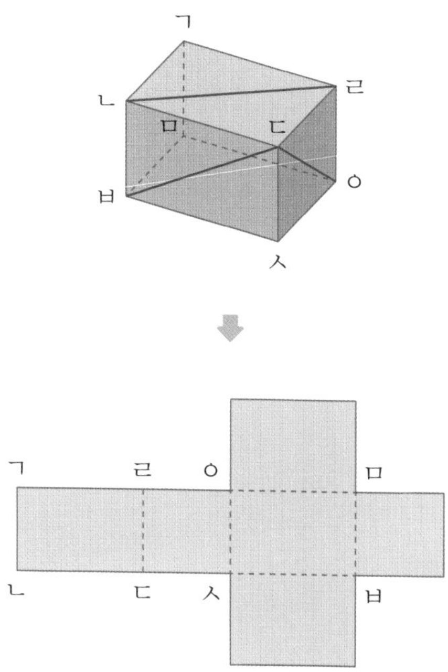

# 3회차 형성 평가

✚ 직육면체가 아닌 것에 ╳표 하시오.

1

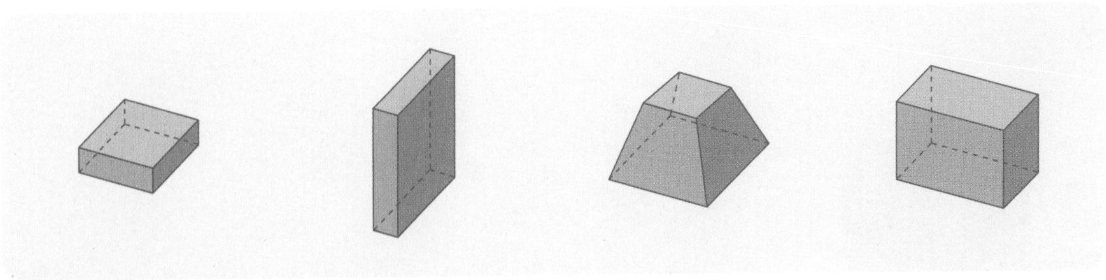

2

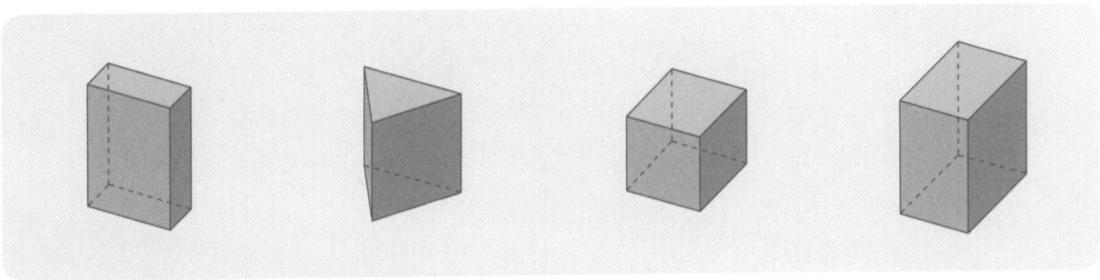

✚ 색칠된 면을 화살표 방향으로 돌렸습니다. 이동한 면을 그려 전개도를 완성하시오.

3

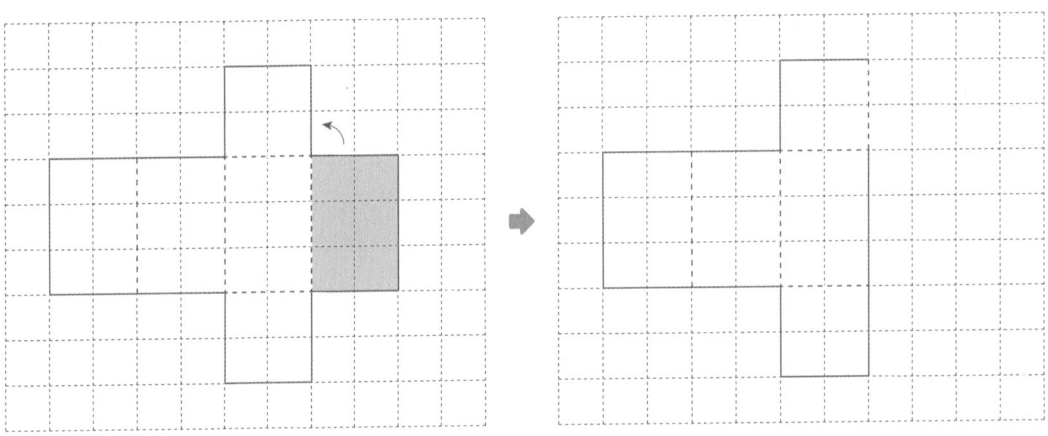

✚ 직육면체의 전개도를 올바르게 그린 것에 ○표 하시오.

**4**

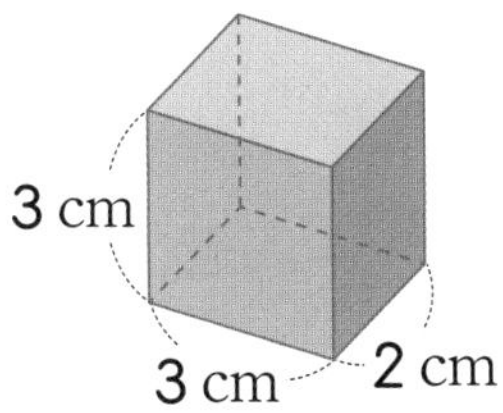


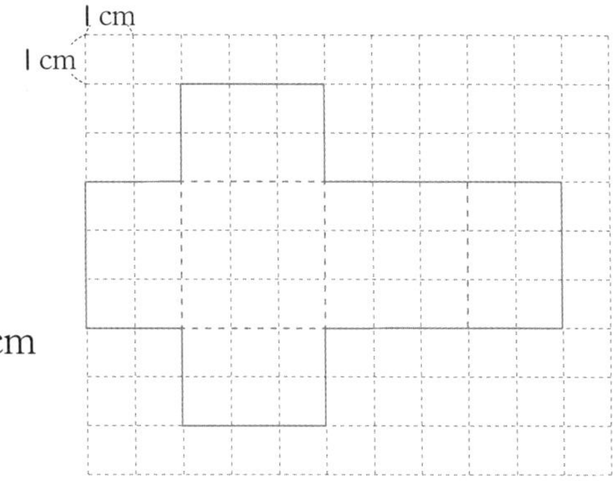


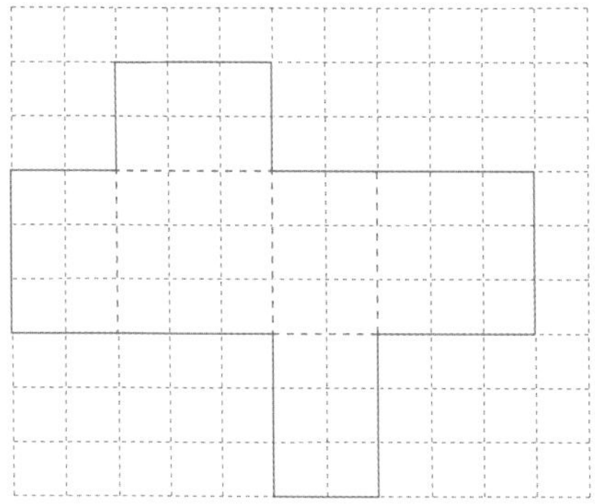

✚ 전개도의 면에 선을 그었습니다. 이 전개도로 직육면체를 만들었을 때 직육면체에 나타나는 선을 그려 보시오.

**5**

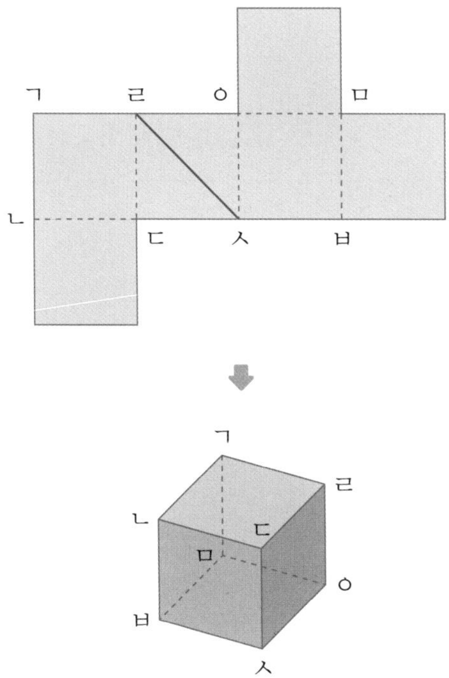


**6**

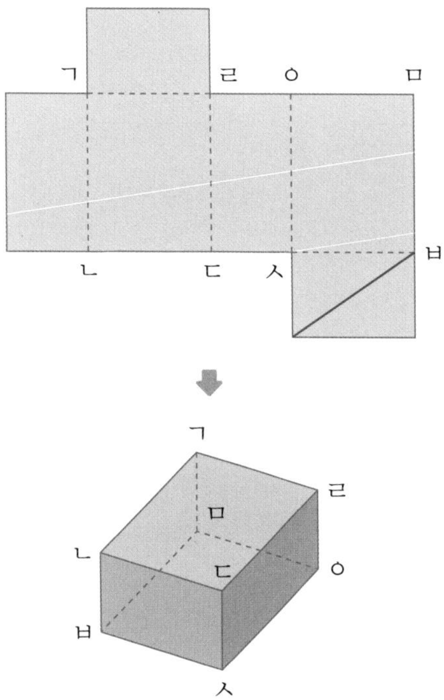

✤ 전개도를 접었을 때 평행한 면끼리 같은 모양으로 표시해 보시오.

**1**

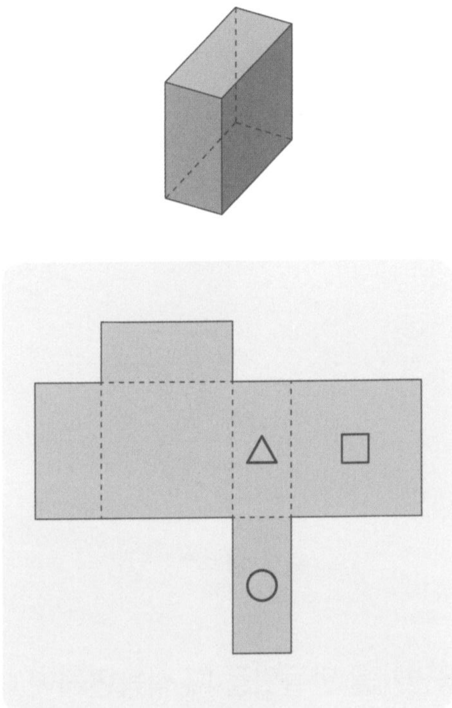

**2**

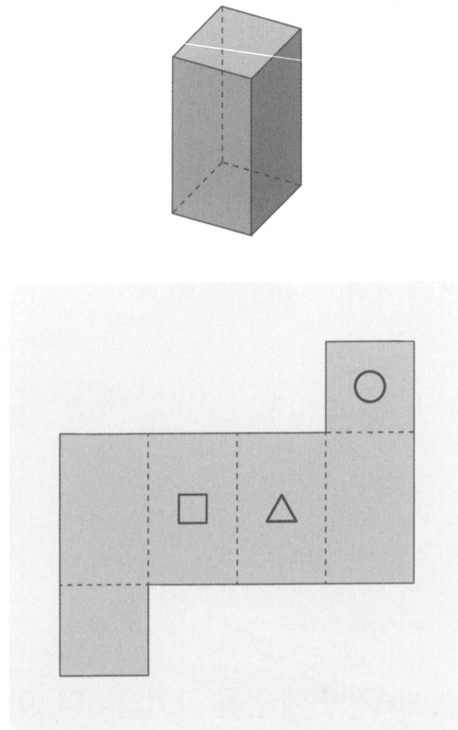

✤ 전개도를 접었을 때 표시된 점 ●과 만나는 점을 모두 찾아 ●으로 표시해 보시오.

**3**

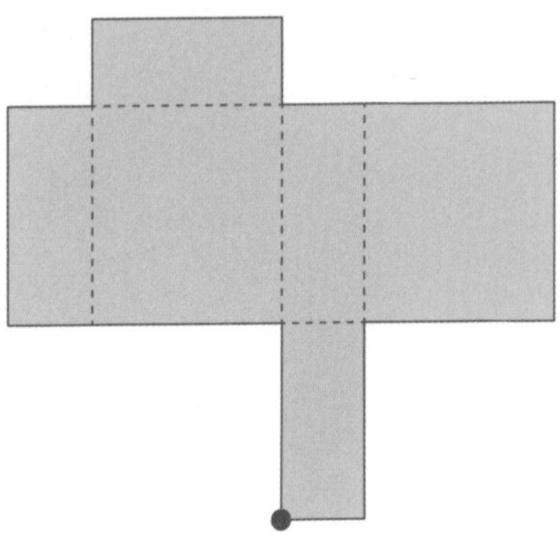

**4**

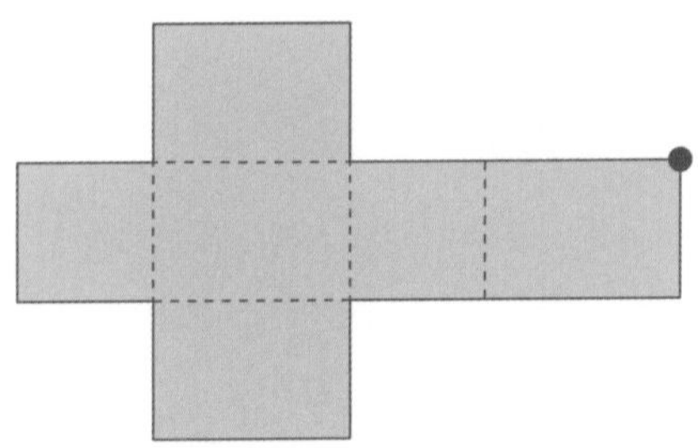

✚ 점선 부분에 알맞은 면을 연결하여 그려 전개도를 완성하시오.

**5**

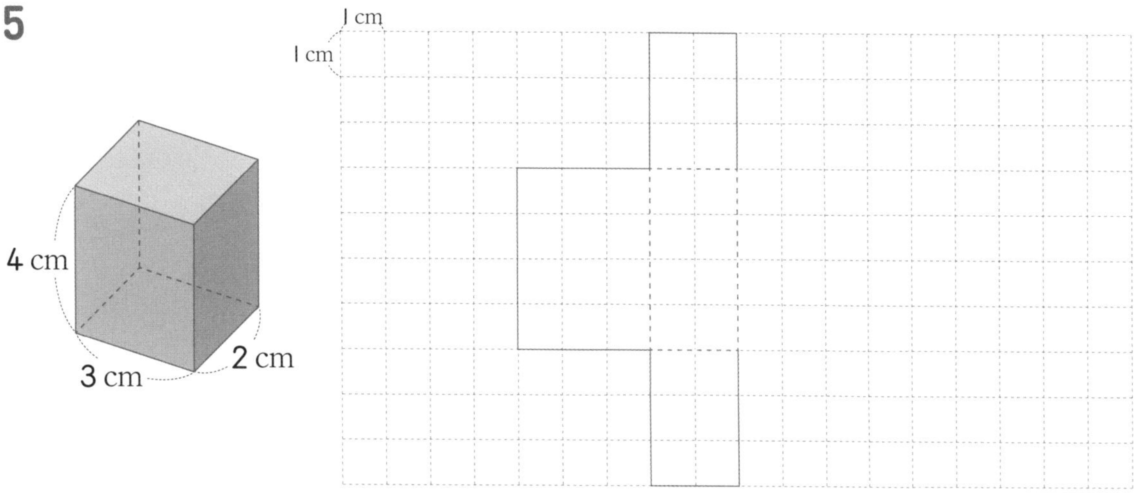


✚ 전개도의 면에 선을 그었습니다. 이 전개도로 직육면체를 만들었을 때 직육면체에 나타나는 선을 그려 보시오.

**6**

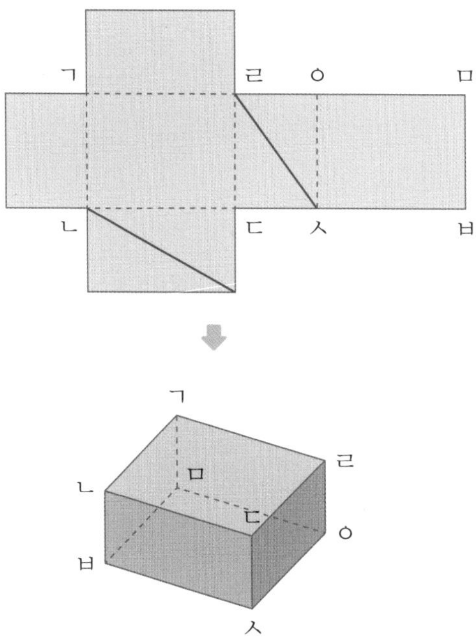


**7**

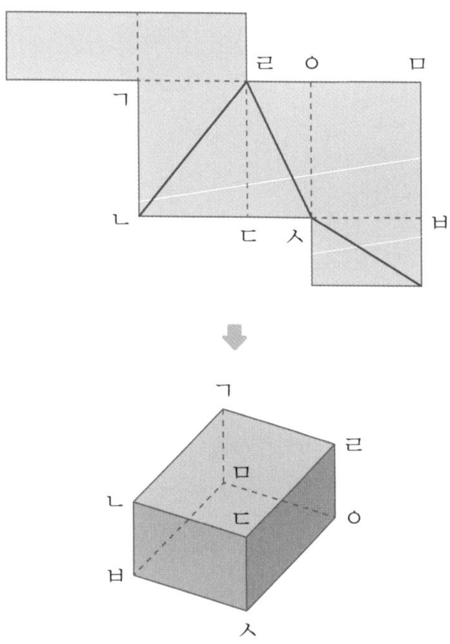

# 5회차 형성 평가

✚ 빠진 부분에 실선 또는 점선을 그어 겨냥도를 완성하시오.

1

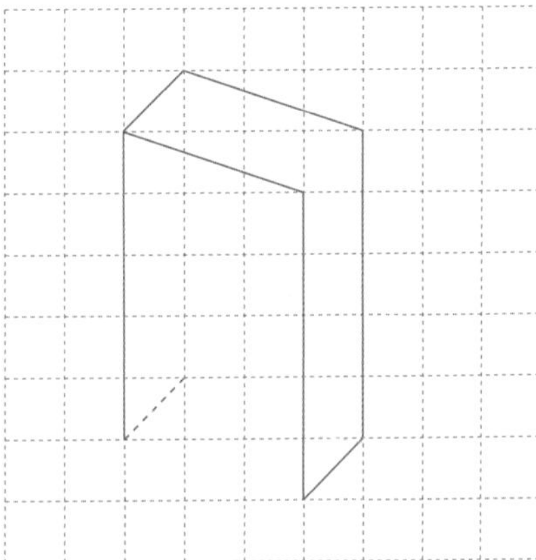

2

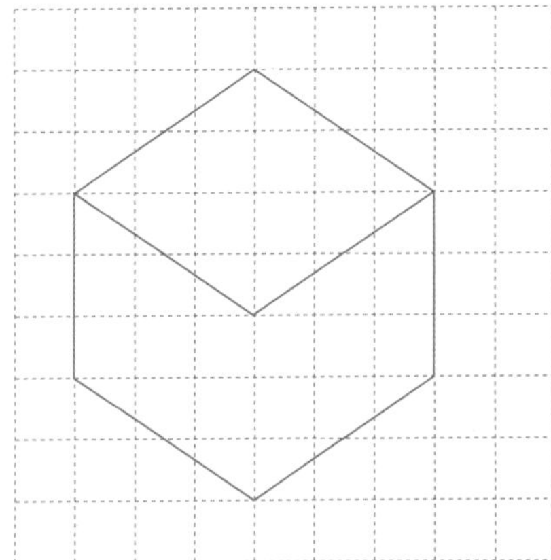

✚ 색칠된 두 면을 화살표 방향으로 돌렸습니다. 이동한 면을 그려 전개도를 완성하시오.

3

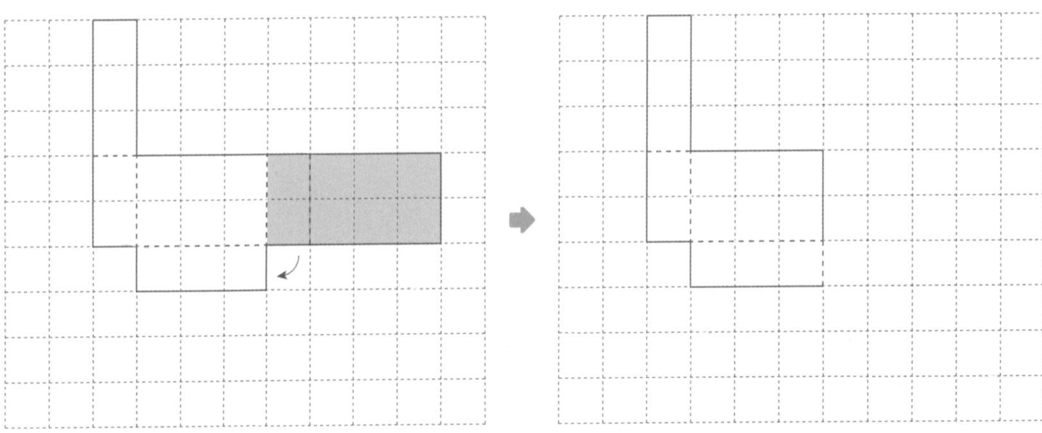

✚ 전개도를 접었을 때 만들어지는 직육면체에 ◯표 하시오.

**4**

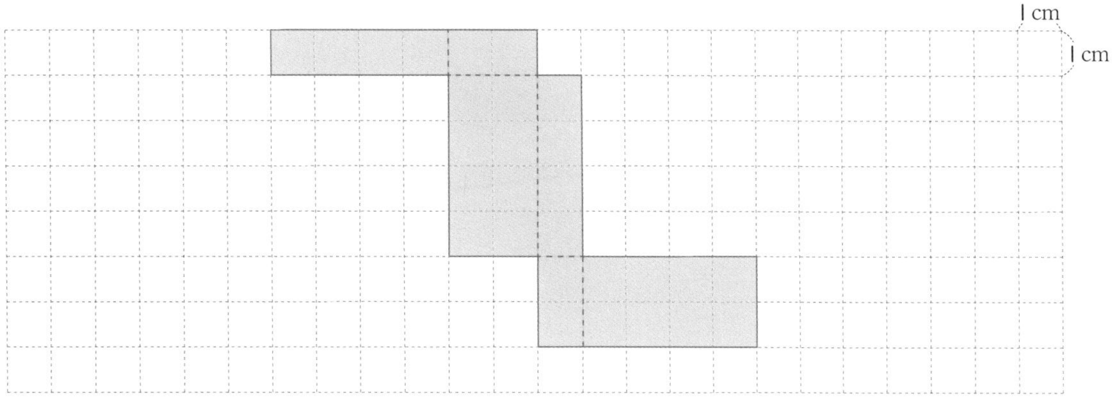


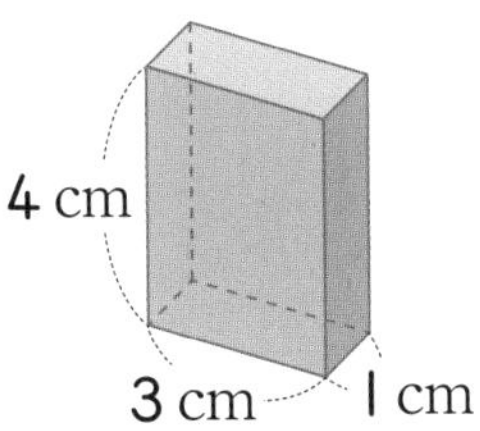


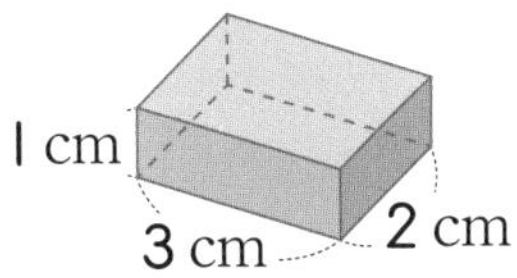


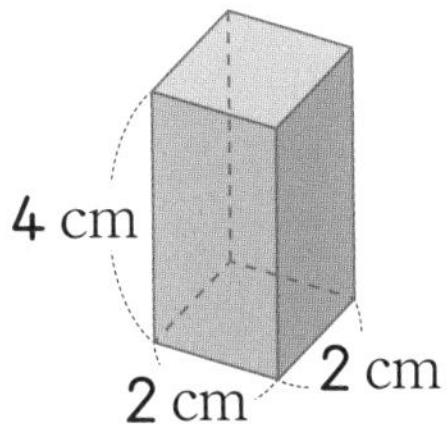


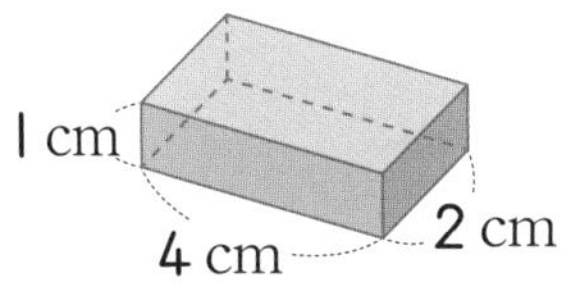


✚ 전개도의 면에 선을 그었습니다. 이 전개도로 만들어지는 직육면체에 ◯표 하시오.

**5**

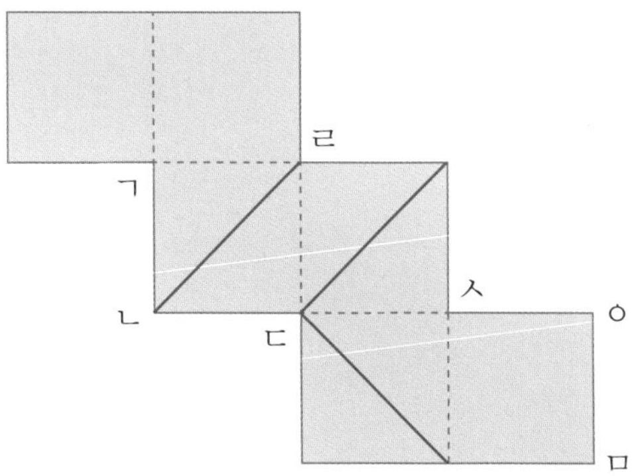


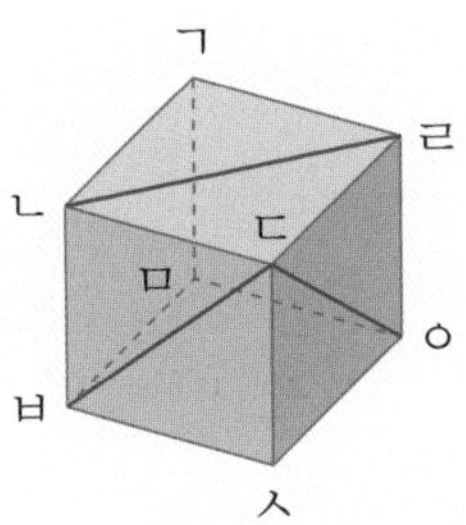


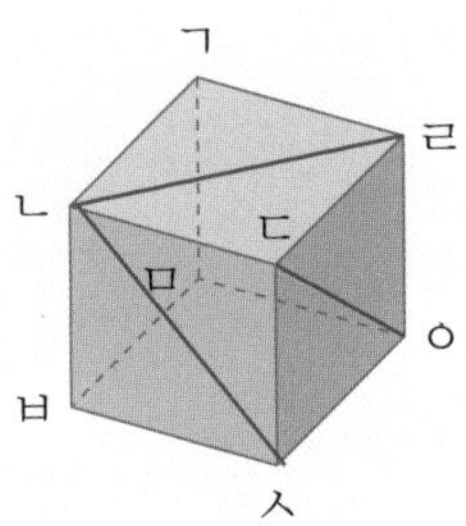


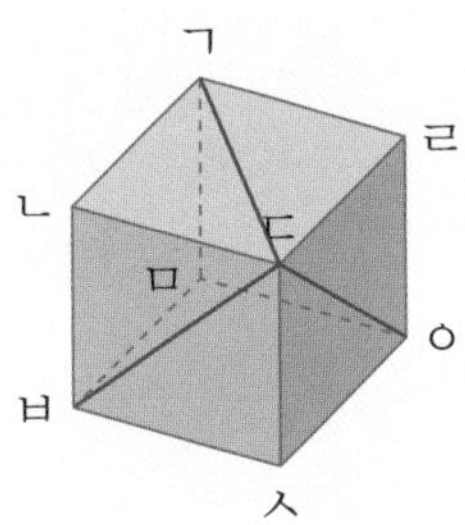


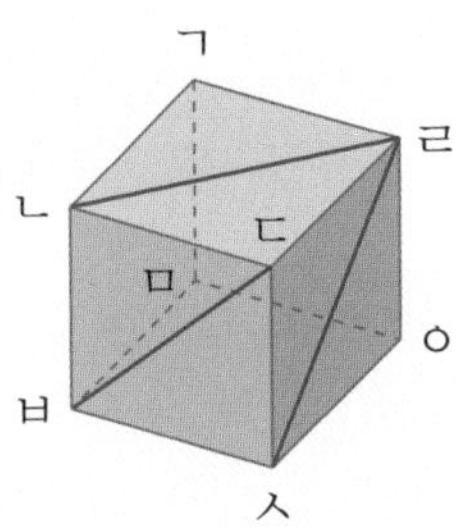

Memo

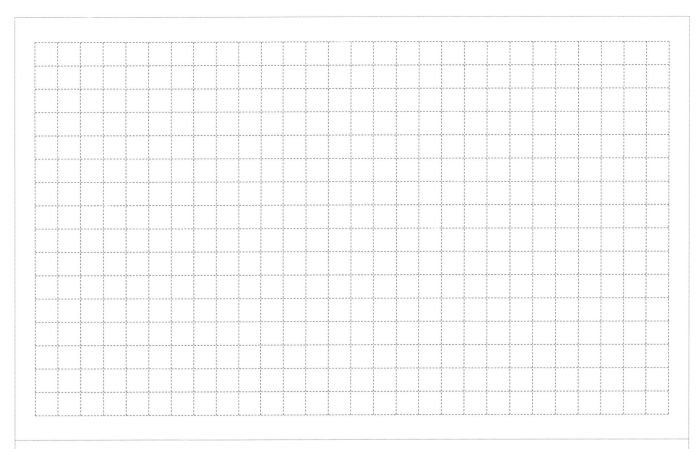

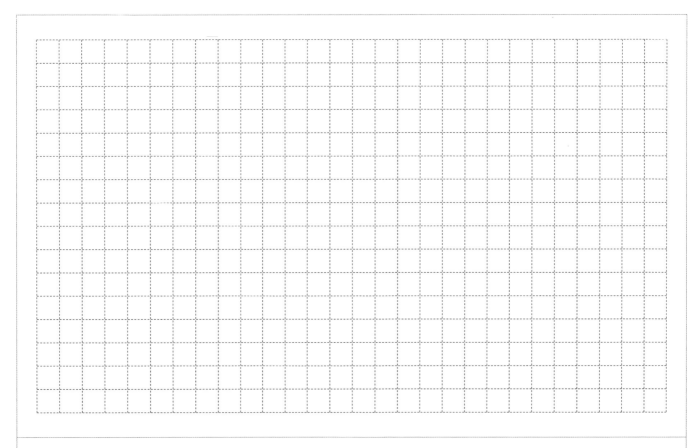

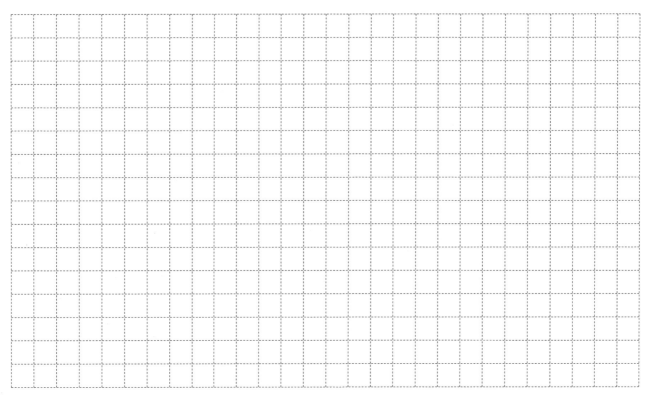

도형 학습의 기준

# 플라토

PLATO

# E3

입체설계 | 초5

정답

사고가 자라는 수학
씨투엠

# 정답과 해설

도형 학습의 기준

# 플라토

PLATO

E3

입체설계 | 초5

사고가 자라는 수학

씨투엠

## 1일 직육면체

직육면체가 아닌 것에 ╳표 하시오.

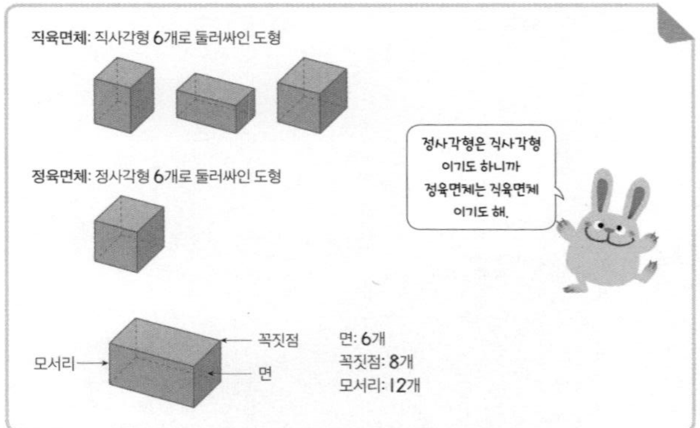

직육면체: 직사각형 6개로 둘러싸인 도형
정육면체: 정사각형 6개로 둘러싸인 도형
정사각형은 직사각형 이기도 하니까 정육면체는 직육면체 이기도 해.
꼭짓점
모서리
면
면: 6개
꼭짓점: 8개
모서리: 12개


1

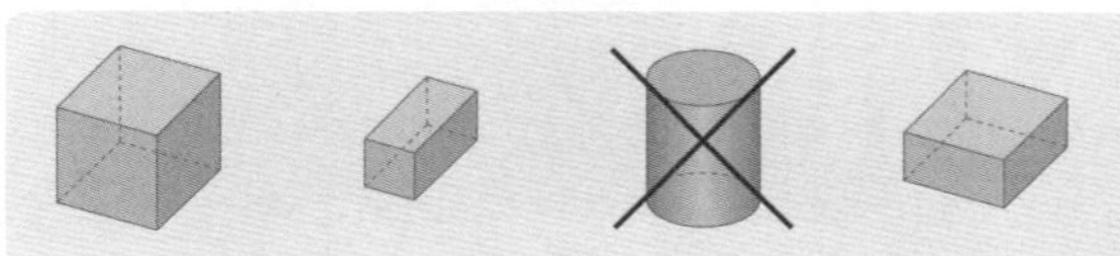

2

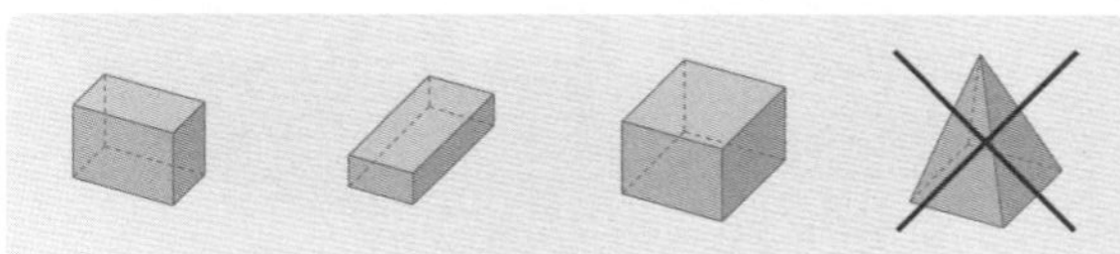

상자 모양 입체도형이 직육면체입니다.

3

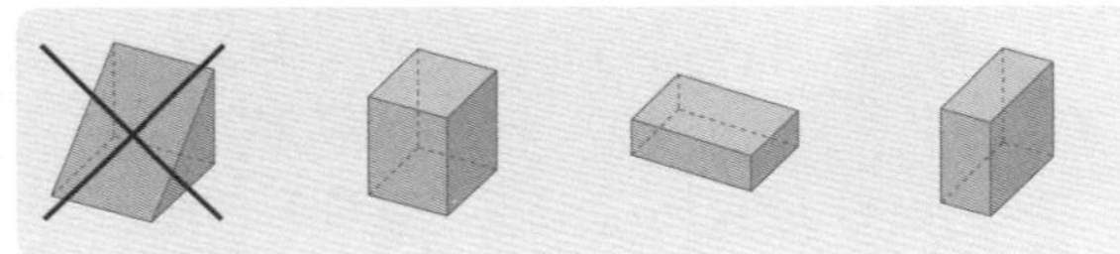

4

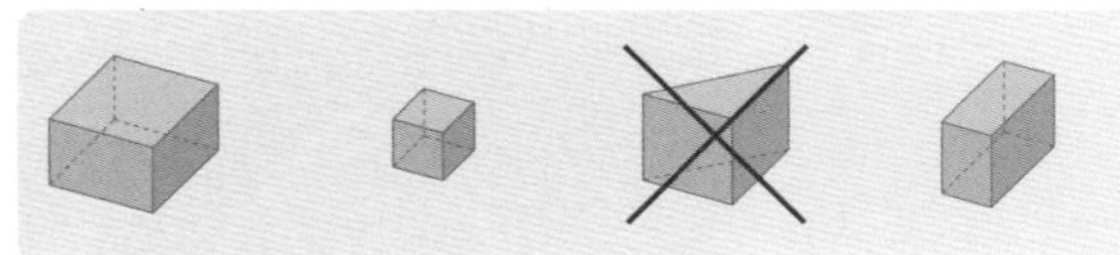

5

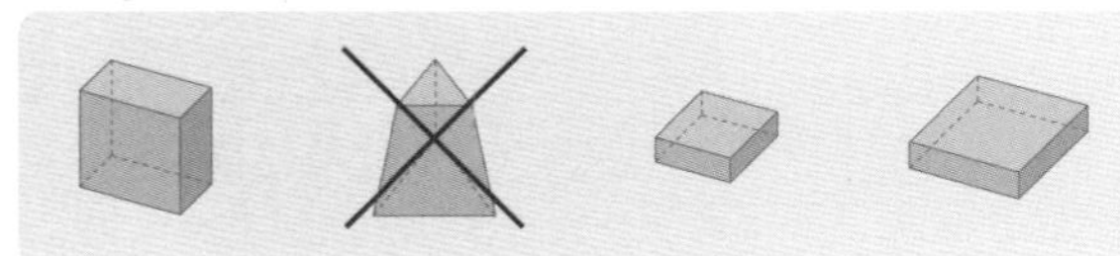

6

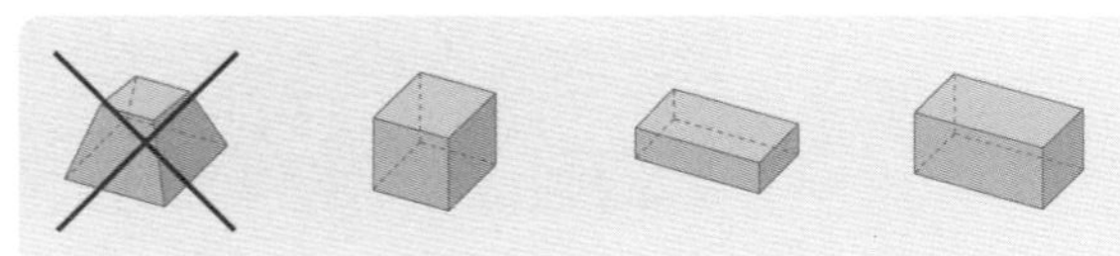

## 2일 겨냥도

빠진 부분에 실선 또는 점선을 그어 겨냥도를 완성하시오.

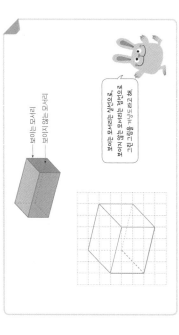

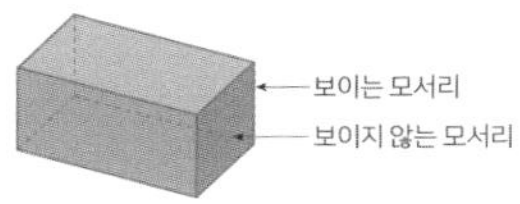


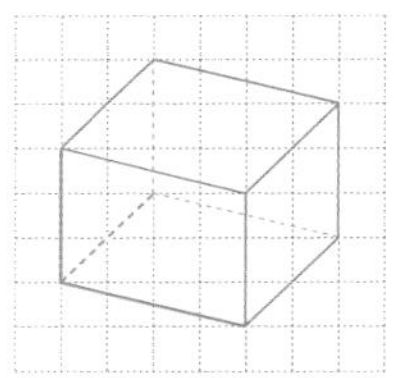

보이는 모서리는 실선으로,
보이지 않는 모서리는 점선으로
그린 그림을 겨냥도라고 해.


1
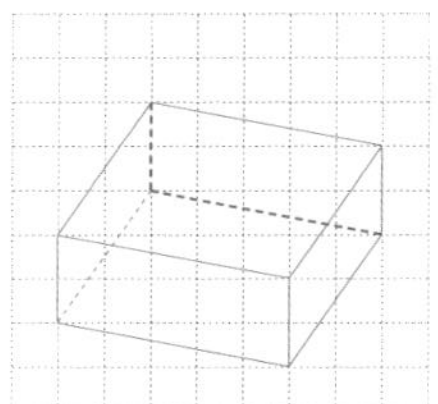

2
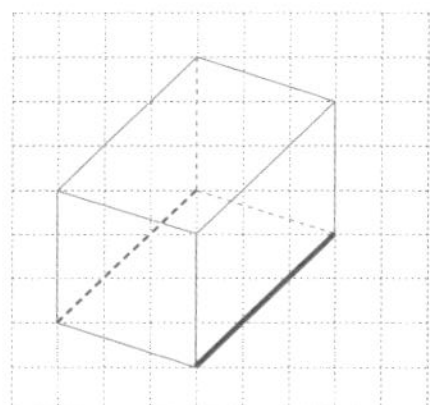

직육면체의 겨냥도에서 보이는 모서리는 항상 9개, 보이지 않는 모서리는 항상 3개입니다.

3
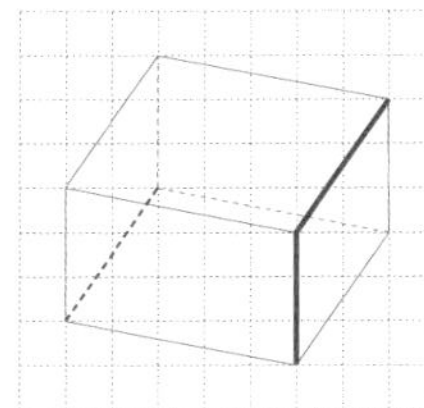

4
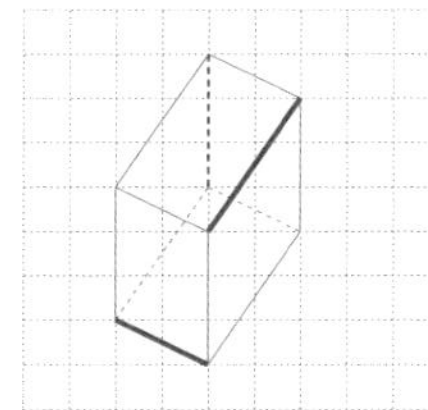

5
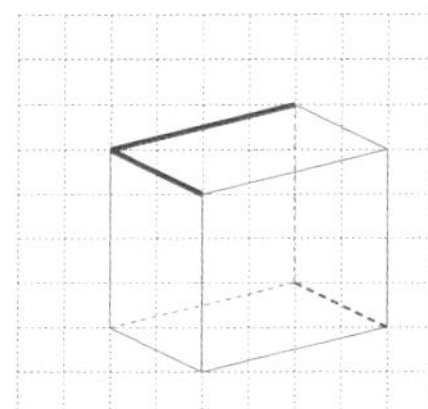

6
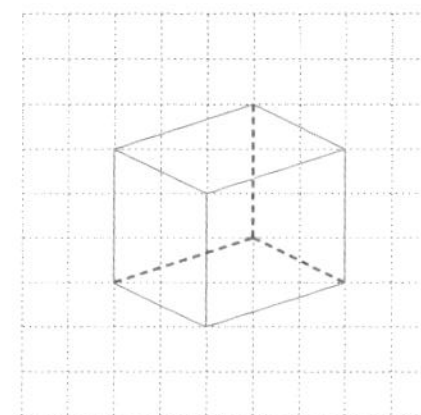

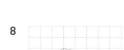

7
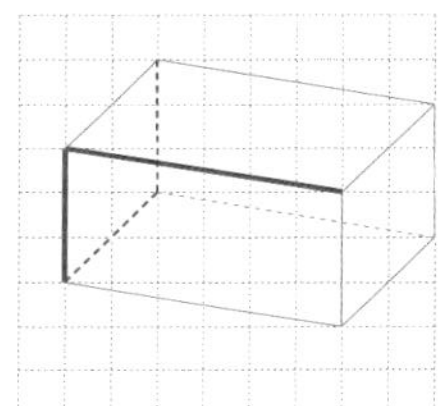

8
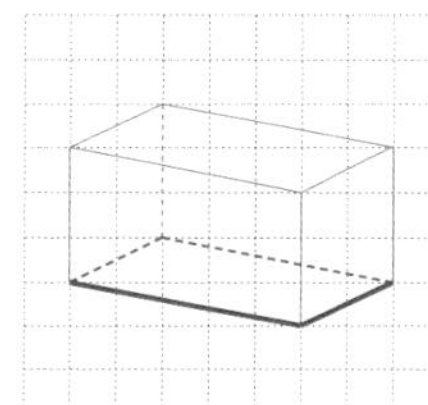

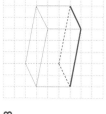

본문 14~15쪽

## 3일 평행한 면

연관 교구: 지오솔리드

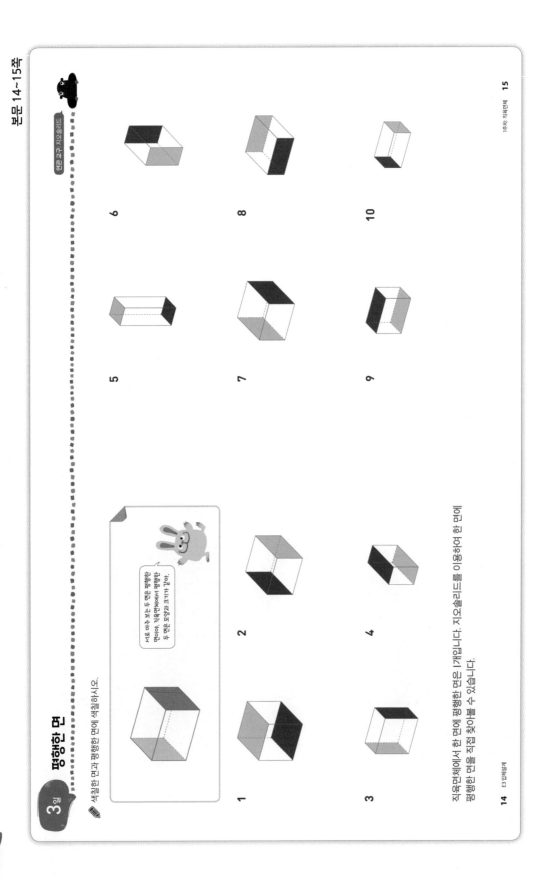

✎ 색칠한 면과 평행한 면에 색칠하시오.

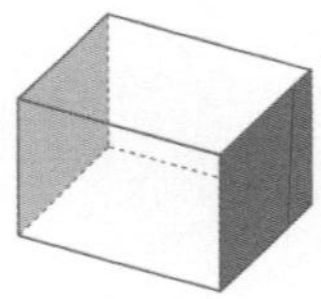

서로 마주 보는 두 면은 평행한 면이야. 직육면체에서 평행한 두 면은 모양과 크기가 같아.


1 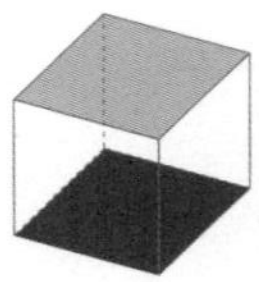

2 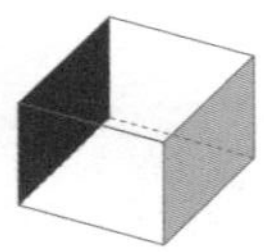

3 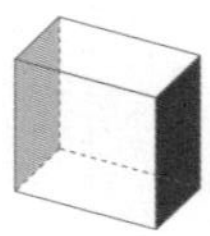

4 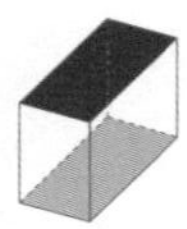

5 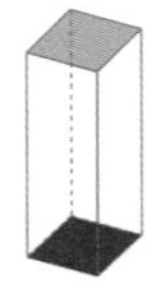

6 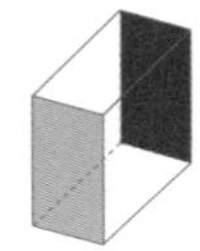

7 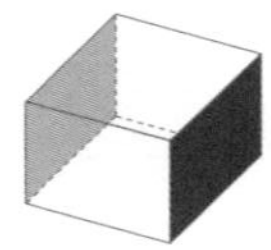

8 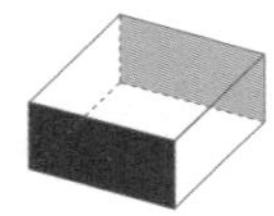

9 

10 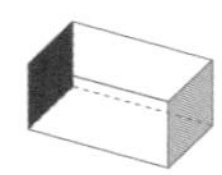

직육면체에서 한 면에 평행한 면은 1개입니다. 지오솔리드를 이용하여 한 면에 평행한 면을 직접 찾아볼 수 있습니다.

4일

## 수직인 면



색칠한 면과 수직인 면이 아닌 것에 ╳표 하시오.

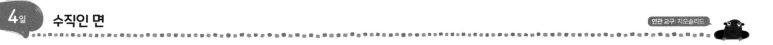

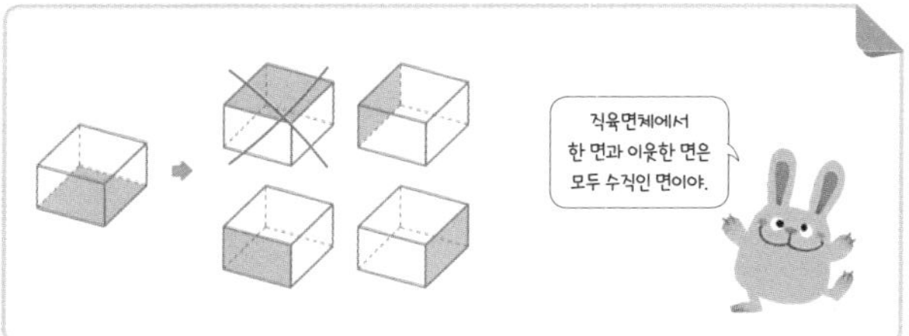


1

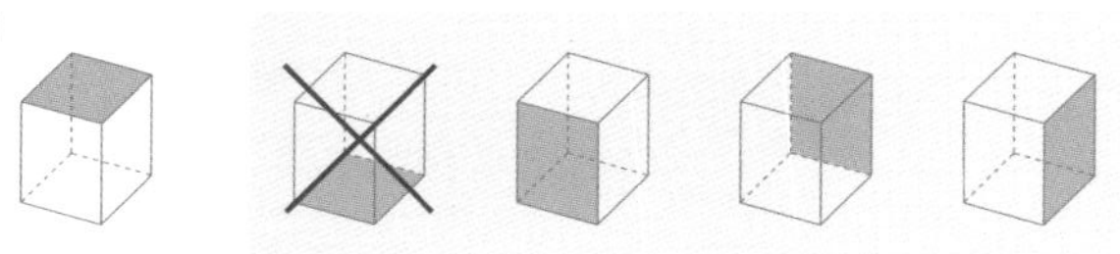

2

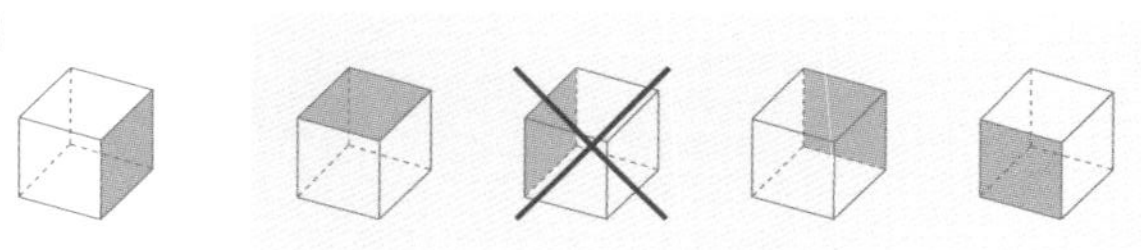

3

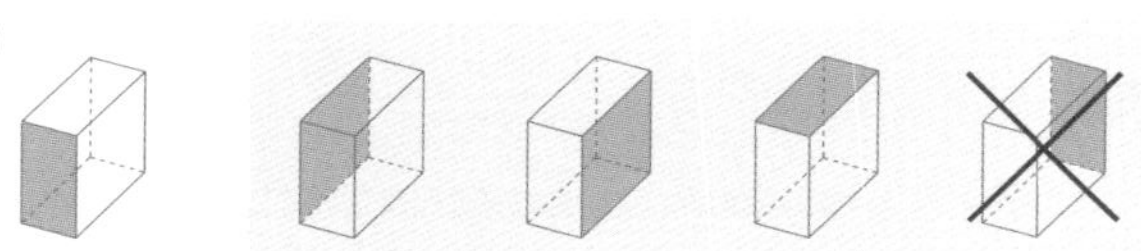

직육면체에서 한 면에 수직인 면은 4개입니다. 한 면에 평행한 면 1개를 제외한 나머지 면이 모두 수직인 면입니다.



4

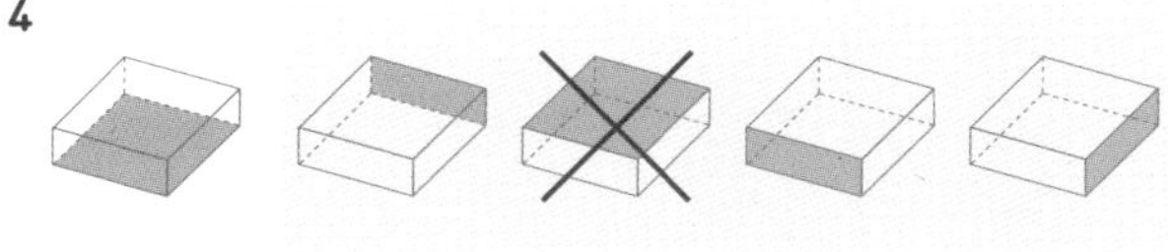

5

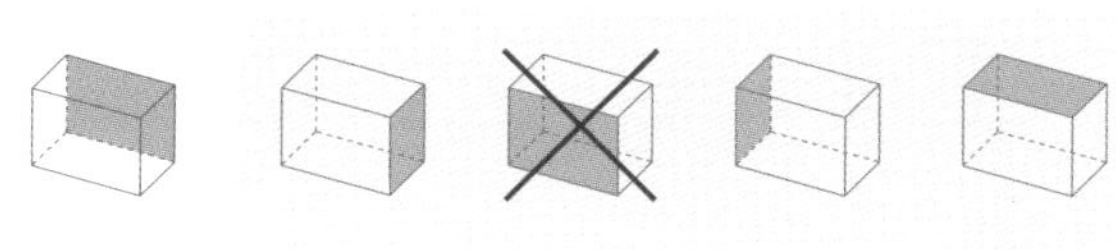

6

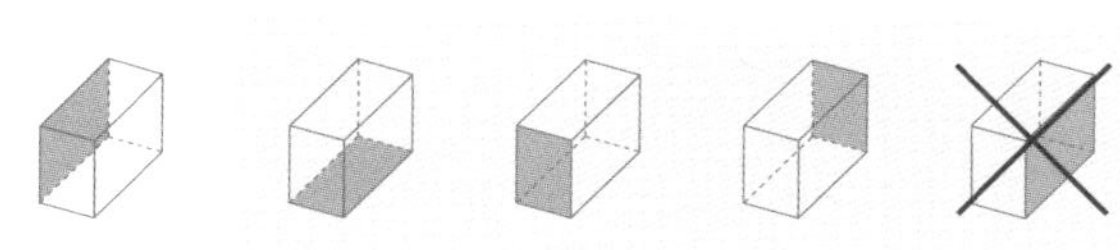

7

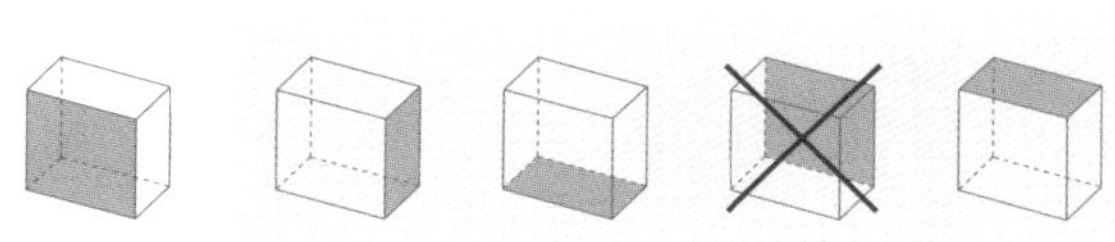

# 5일 직육면체 펼치기

연관 교구: 지오플릭

전개도를 접었을 때 평행한 면끼리 같은 모양으로 표시해 보시오.

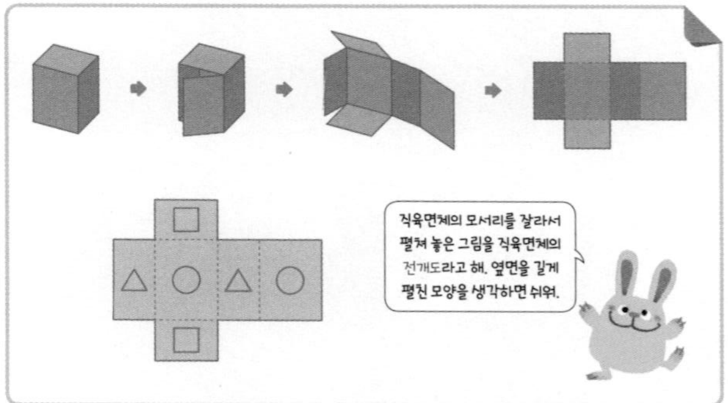

직육면체의 모서리를 잘라서 펼쳐 놓은 그림을 직육면체의 전개도라고 해. 옆면을 길게 펼친 모양을 생각하면 쉬워.


1

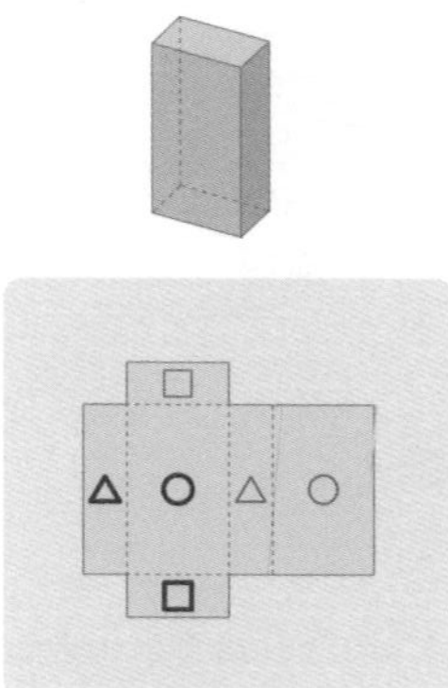

2

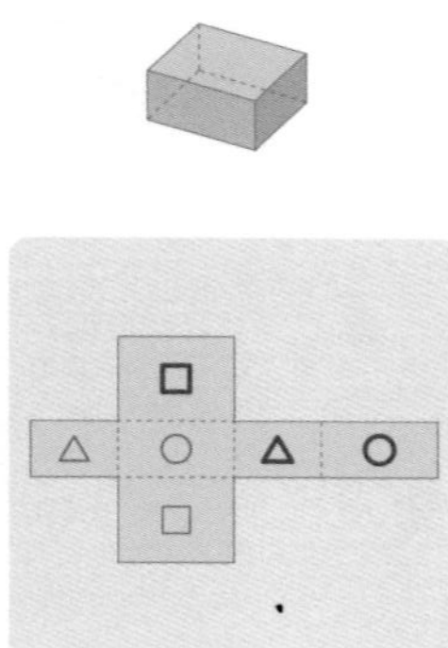

3

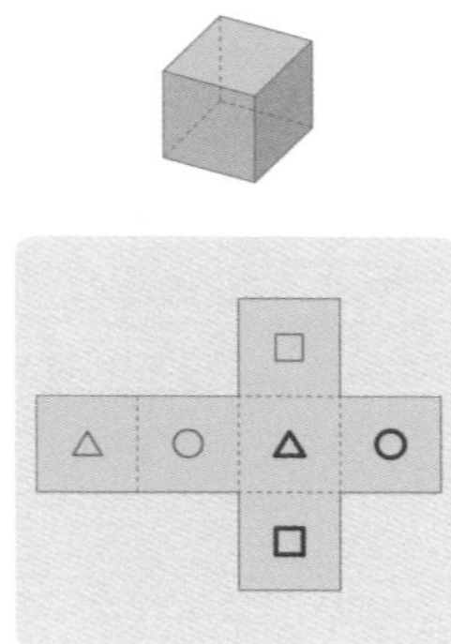

4

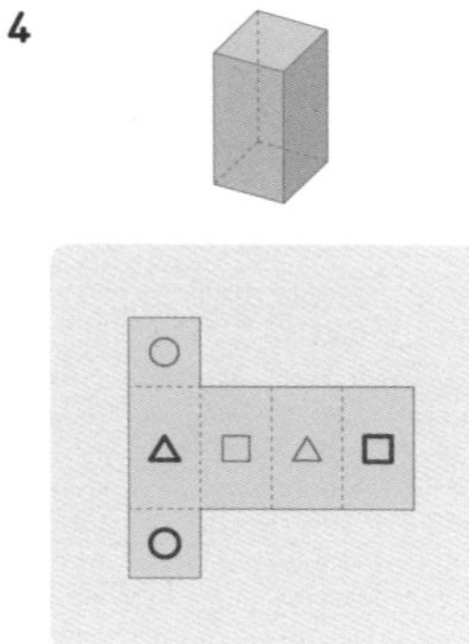

5

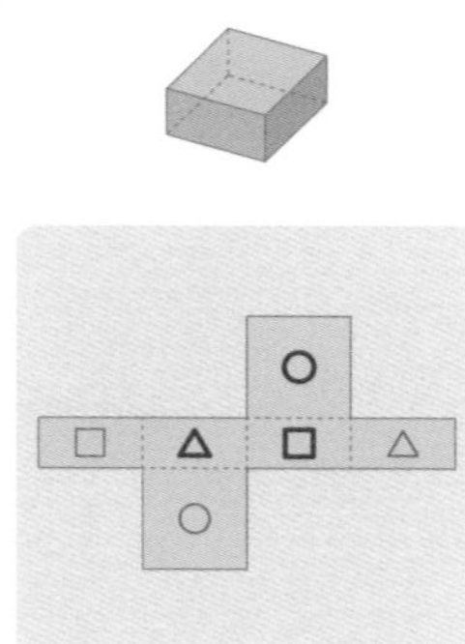

6

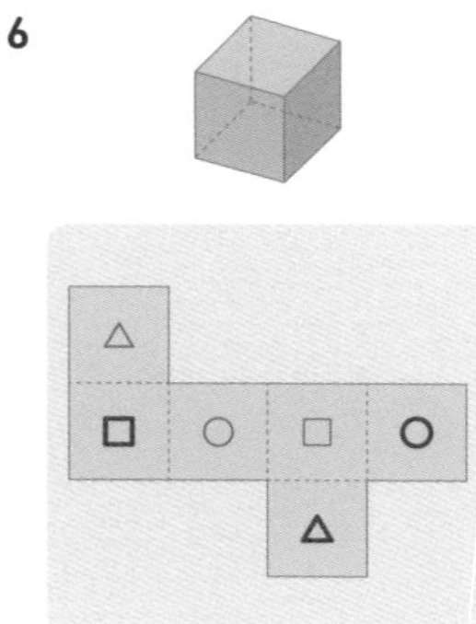

## 확인학습

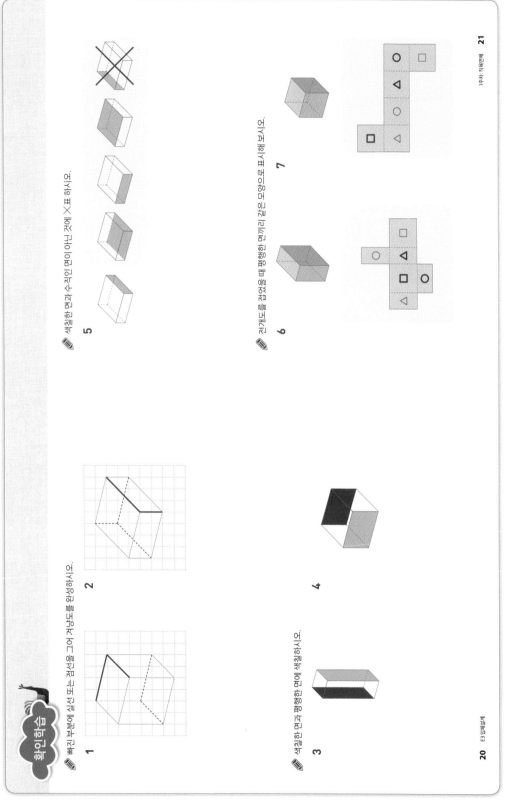

빠진 부분에 실선 또는 점선을 그어 겨냥도를 완성하시오.

1

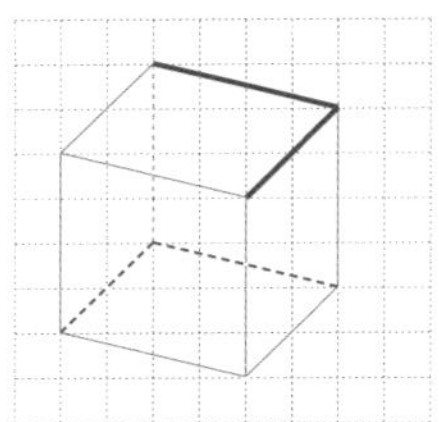

2

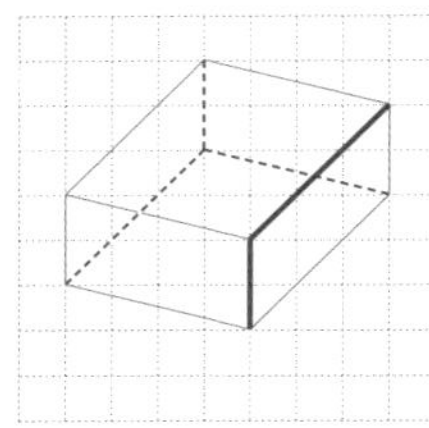

색칠한 면과 평행한 면에 색칠하시오.

3

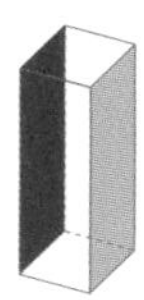

4

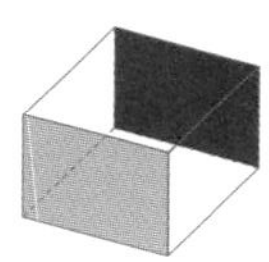

색칠한 면과 수직인 면이 아닌 것에 ╳표 하시오.

5

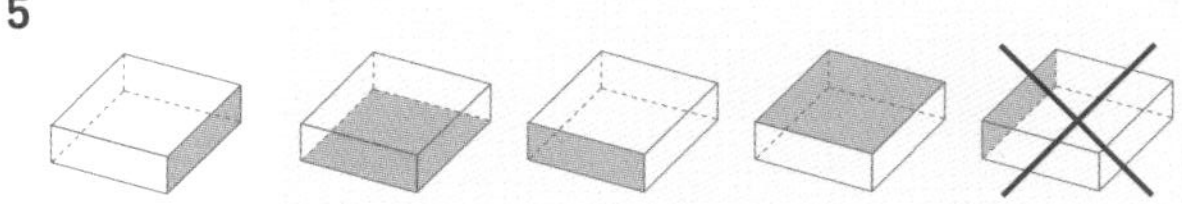

전개도를 접었을 때 평행한 면끼리 같은 모양으로 표시해 보시오.

6

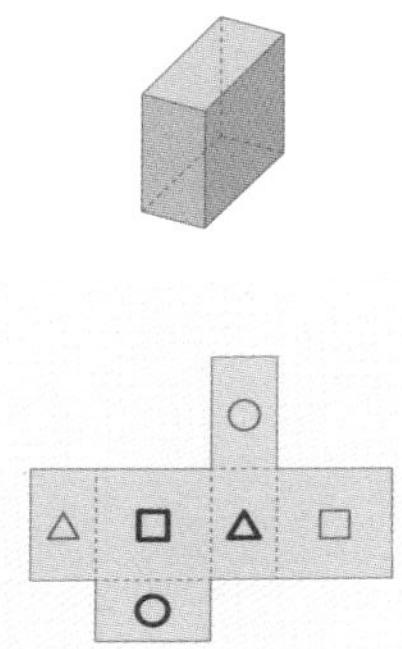

7

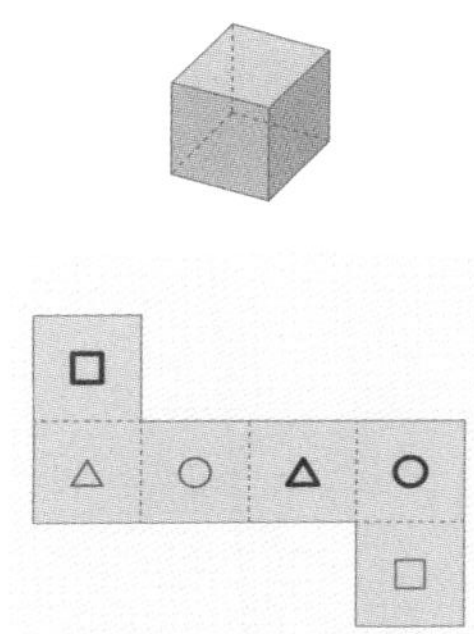

## 1일 만나는 점

연관 교구: 지오플릭

전개도를 접었을 때 표시된 점 •과 만나는 점을 모두 찾아 •으로 표시해 보시오.

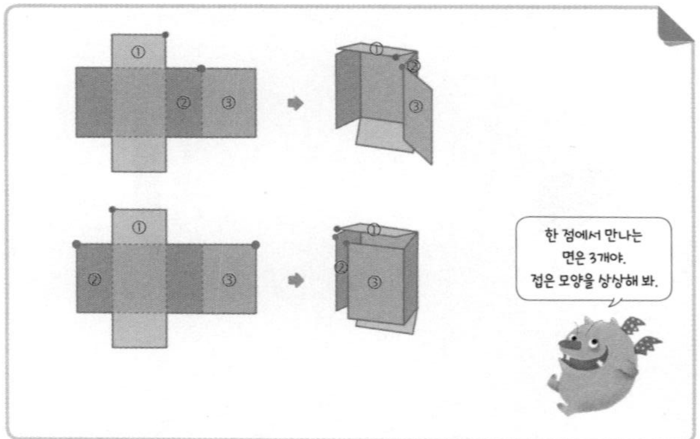

①
②
③
한 점에서 만나는 면은 3개야. 접은 모양을 상상해 봐.

1
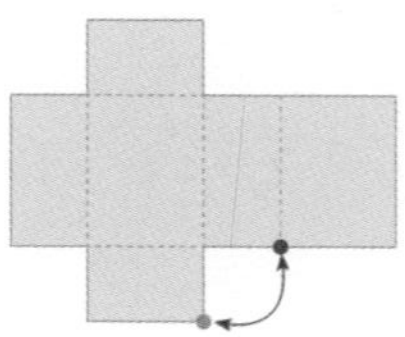

2
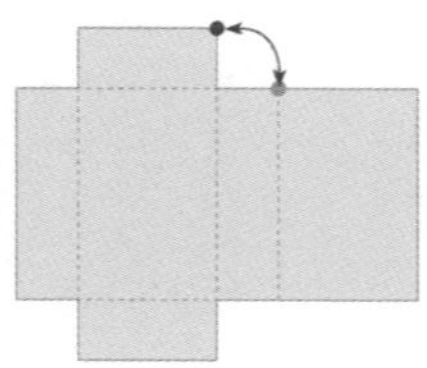

3
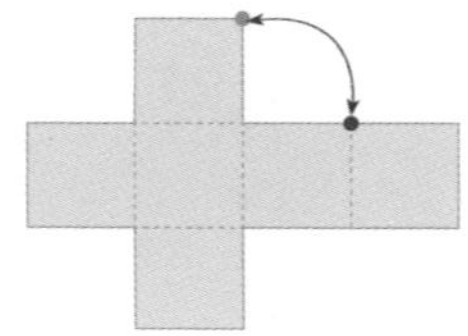

4
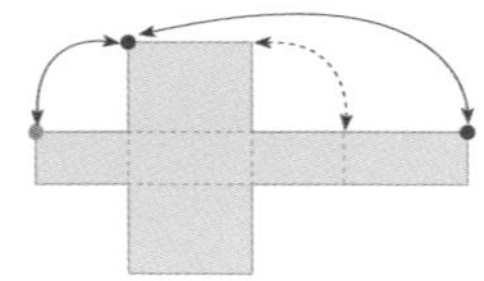

5
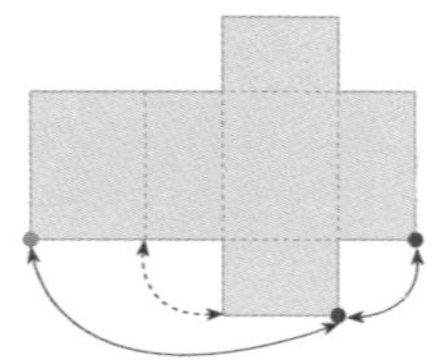

6
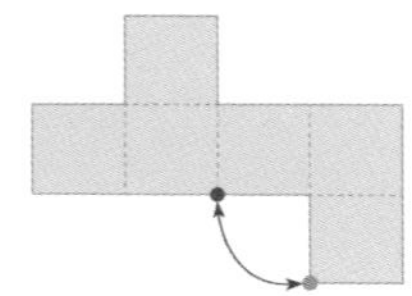

7
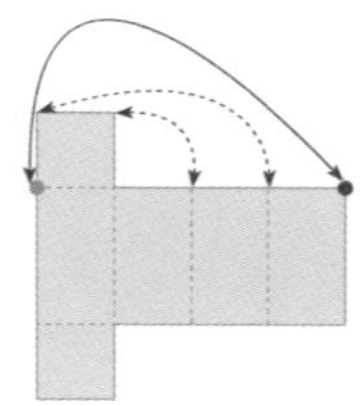

8
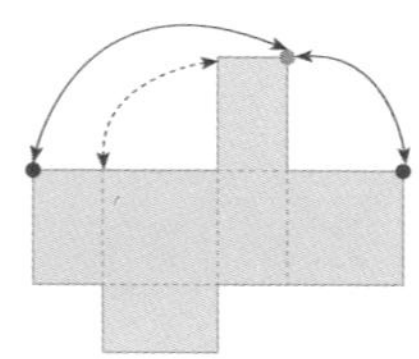

## 2일 만나는 선분

연관 교구: 지오플릭

전개도를 접었을 때 표시된 선분과 만나는 선분을 찾아 ○로 표시해 보시오.

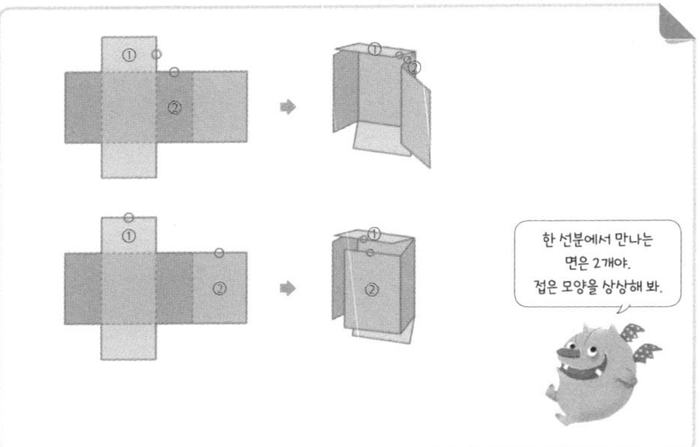
①
②
한 선분에서 만나는
면은 2개야.
접은 모양을 상상해 봐.

1

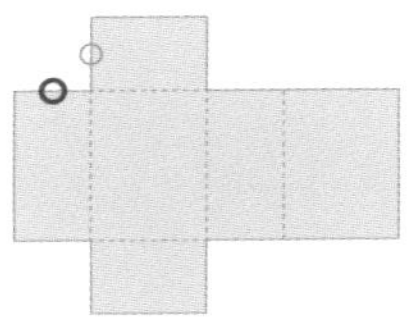

2

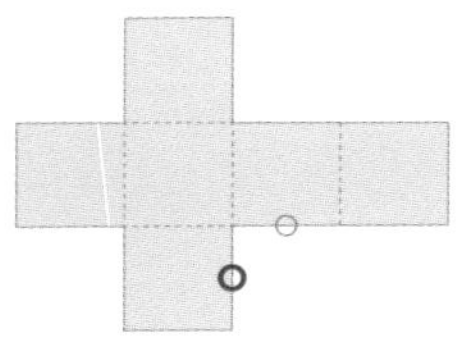

전개도를 접었을 때 만나는 점을 찾으면 만나는 선분을 찾을 수 있습니다.

3

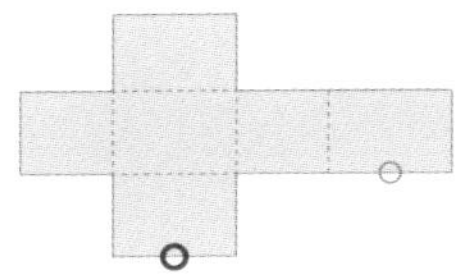

4

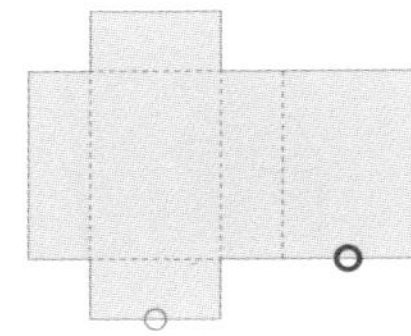

5

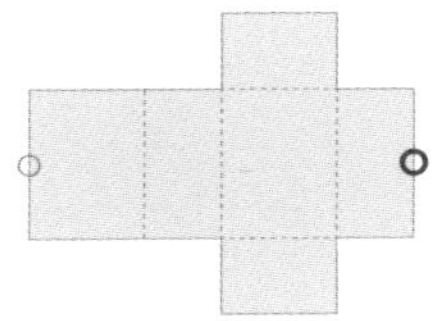

6

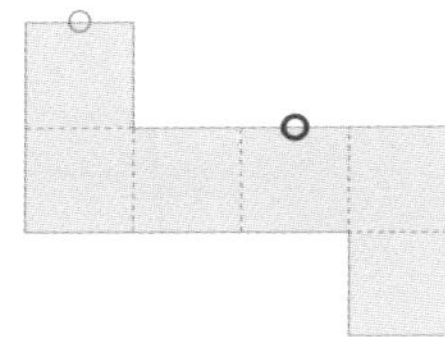

7

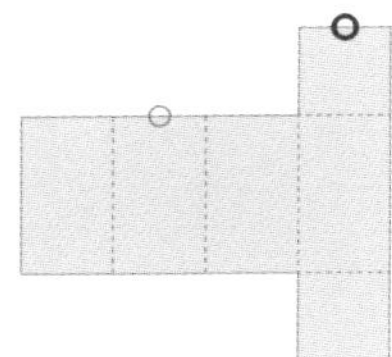

8

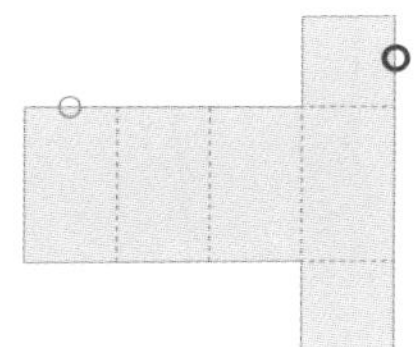

# 3일 한 면의 이동

연관 교구: 지오폴릭

색칠된 면을 화살표 방향으로 돌렸습니다. 이동한 면을 그려 전개도를 완성하시오.

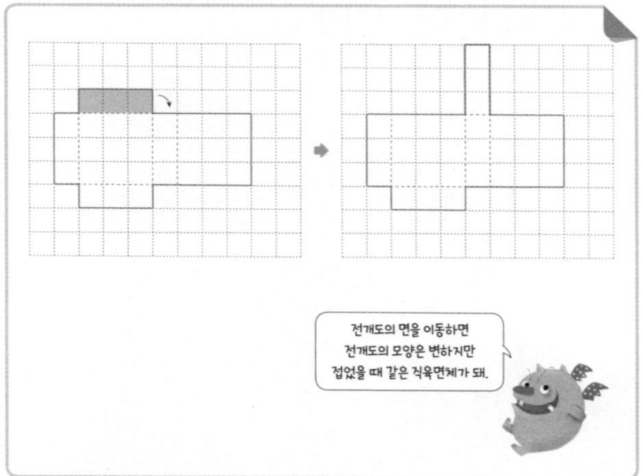

전개도의 면을 이동하면
전개도의 모양은 변하지만
접었을 때 같은 직육면체가 돼.

1

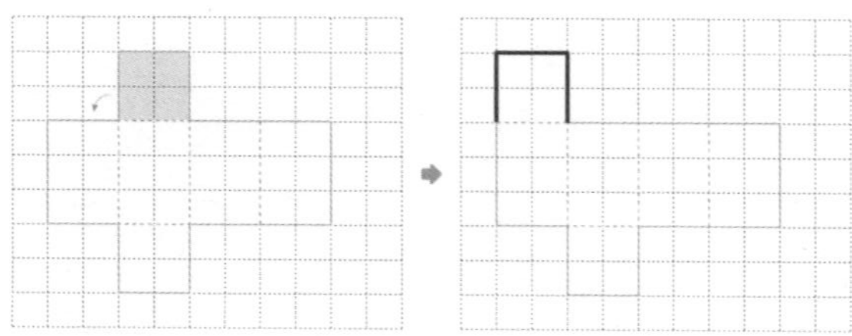

2

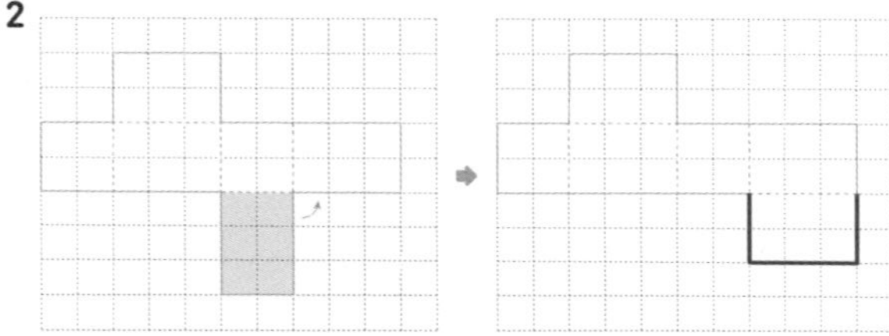

3

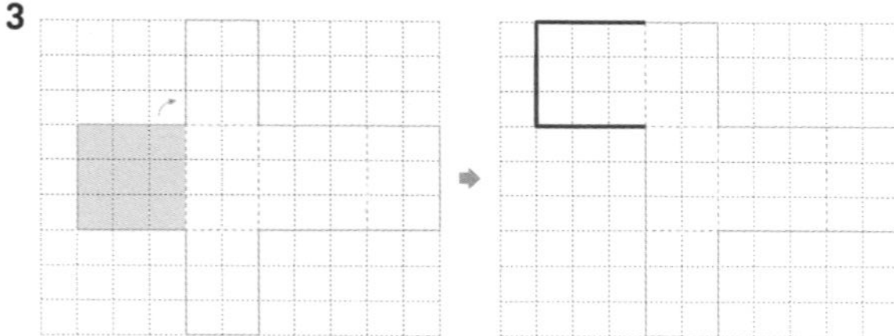

4

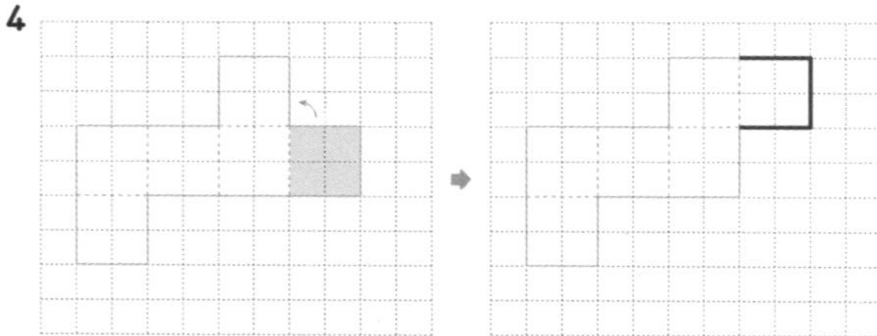

## 4일 두 면의 이동

연관 교구: 지오플릭

색칠된 두 면을 화살표 방향으로 돌렸습니다. 이동한 면을 그려 전개도를 완성하시오.

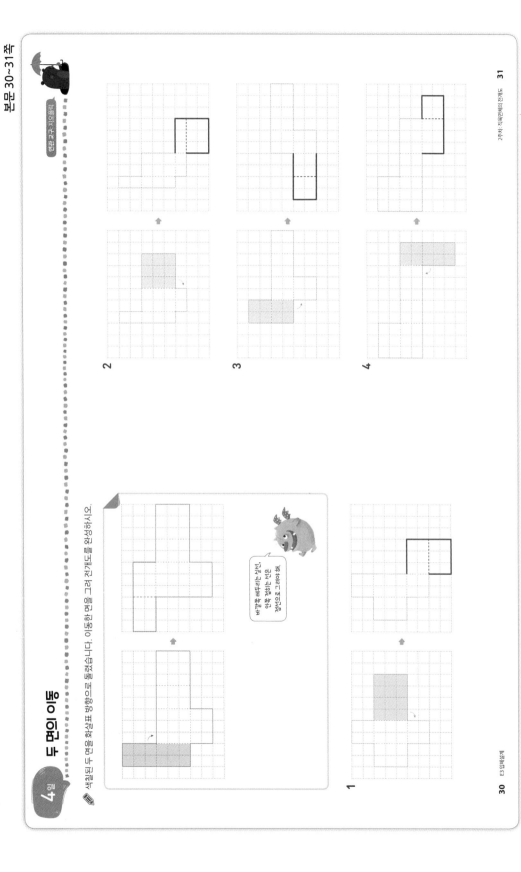

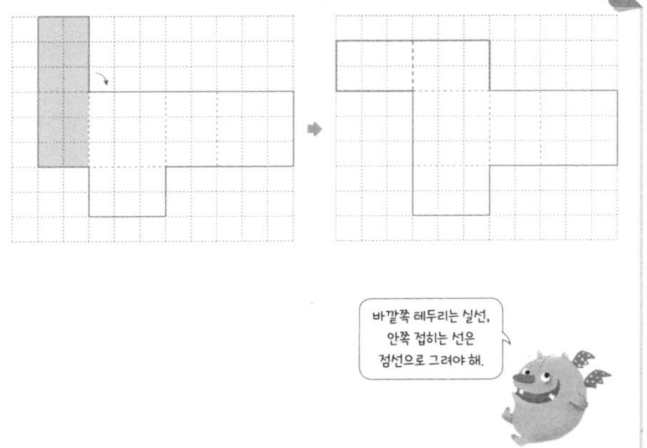
바깥쪽 테두리는 실선,
안쪽 접히는 선은
점선으로 그려야 해.

1

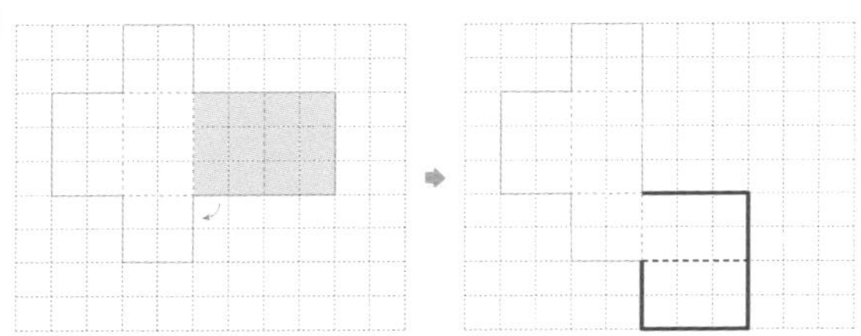

2

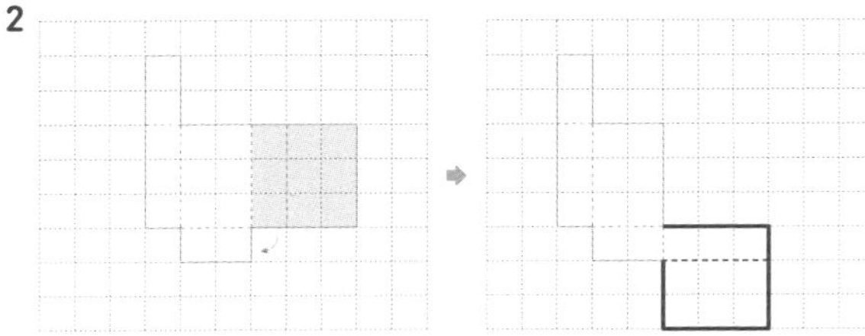

3

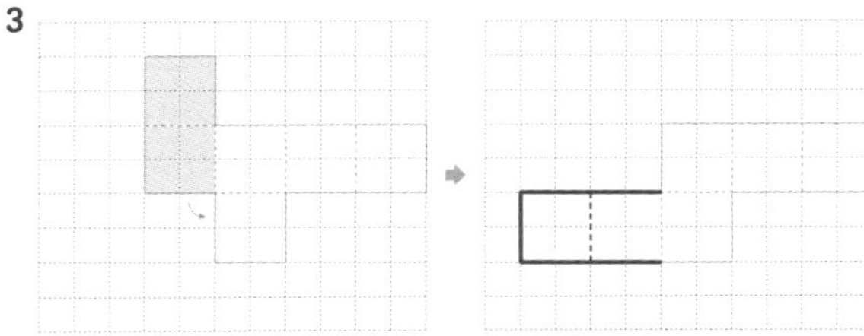

4

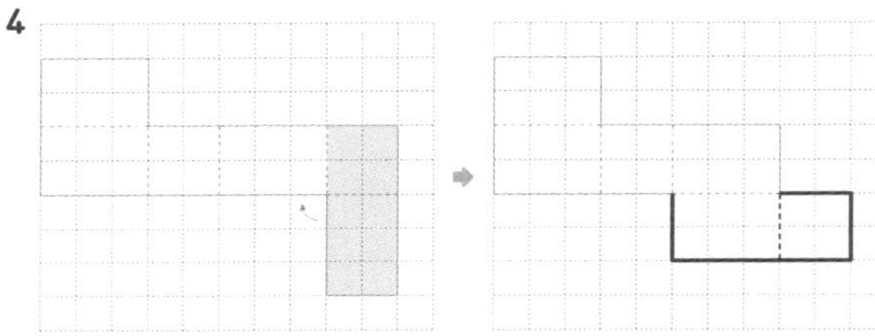

5일 **전개도 찾기**

연관 교구: 지오폴리

직육면체의 전개도가 아닌 것에 ×표 하시오.

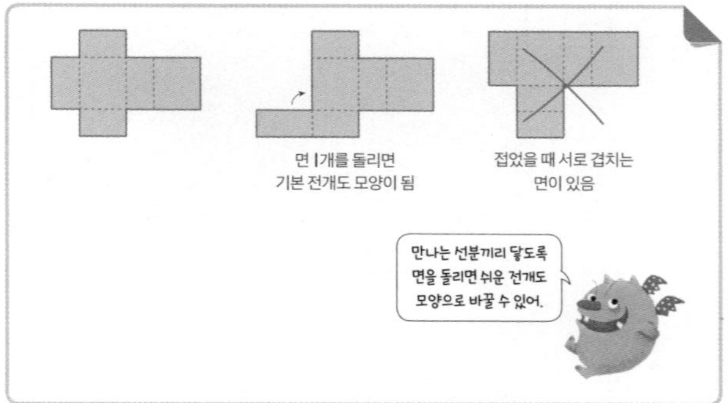

면 1개를 돌리면
기본 전개도 모양이 됨
접었을 때 서로 겹치는
면이 있음
만나는 선분끼리 닿도록
면을 돌리면 쉬운 전개도
모양으로 바꿀 수 있어.


1

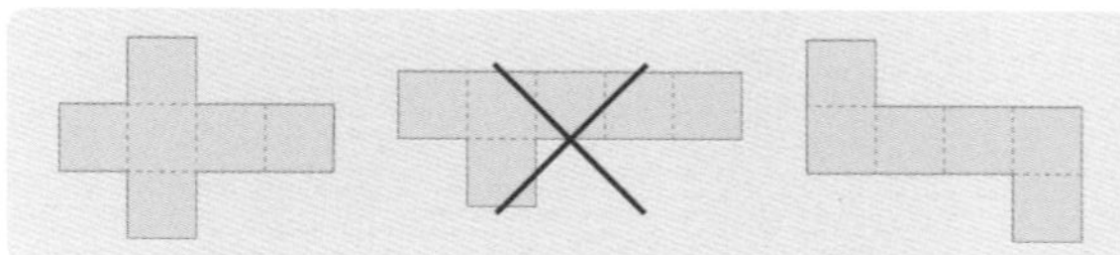

2

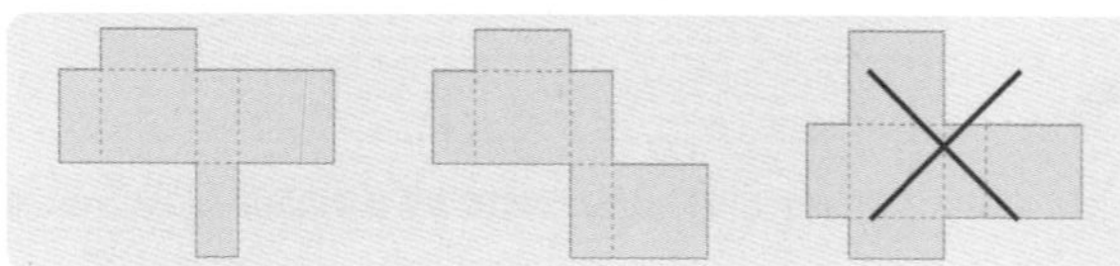

3

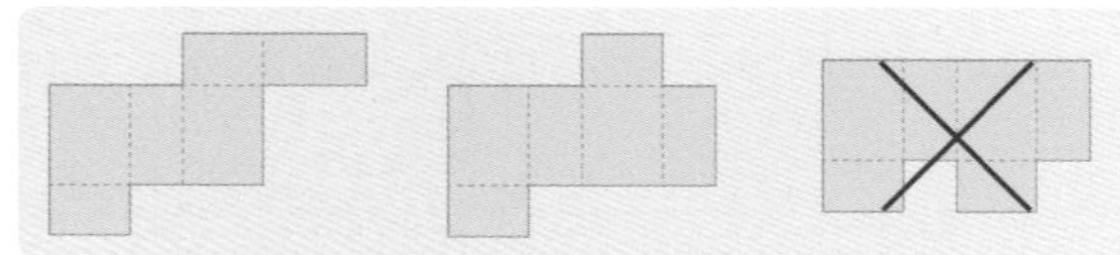

4

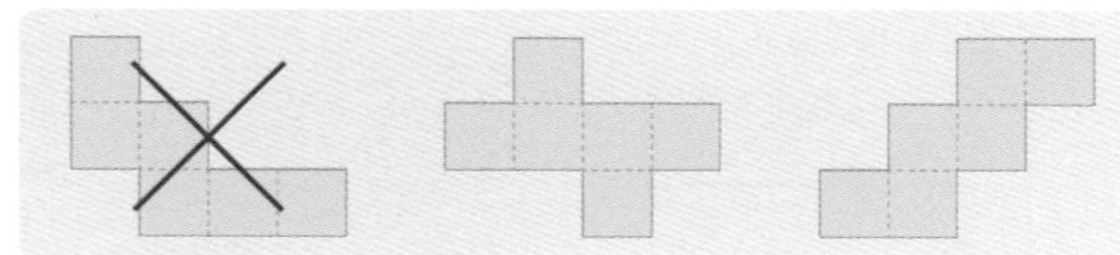

5

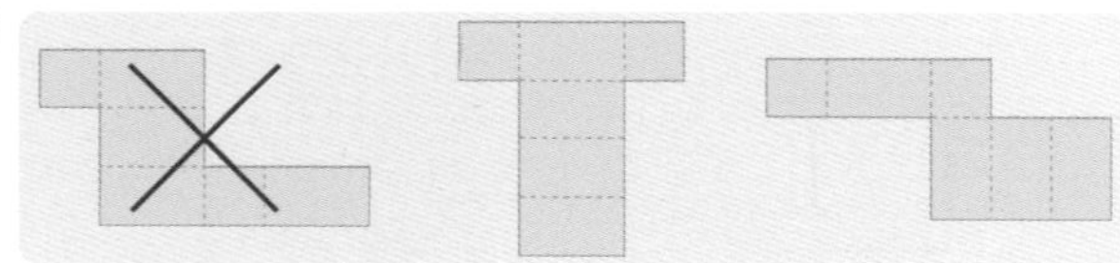

6

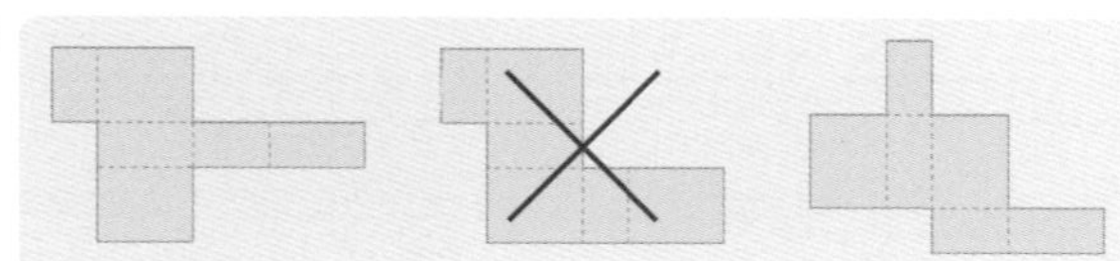

## 확인학습

전개도를 접었을 때 표시된 점 •과 만나는 점을 모두 찾아 •으로 표시해 보시오.

1

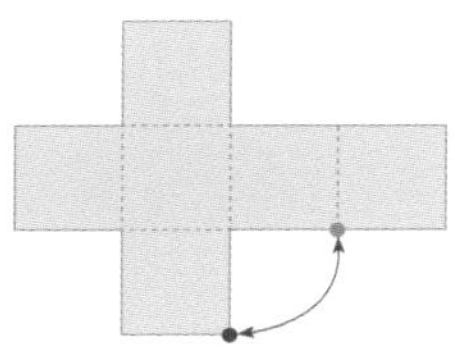

2

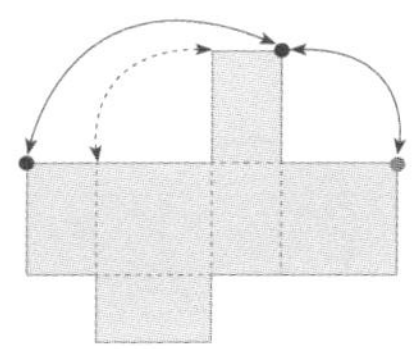

전개도를 접었을 때 표시된 선분과 만나는 선분을 찾아 ○로 표시해 보시오.

3

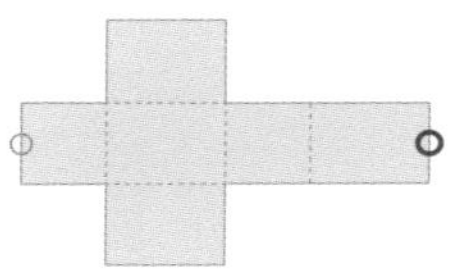

4

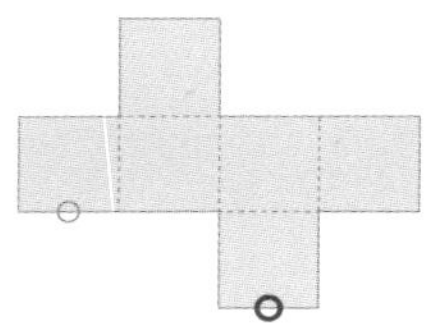

색칠된 면을 화살표 방향으로 돌렸습니다. 이동한 면을 그려 전개도를 완성하시오.

5

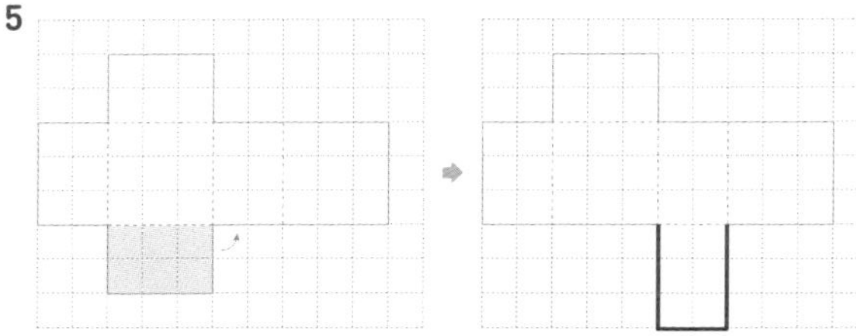

직육면체의 전개도가 아닌 것에 ╳표 하시오.

6

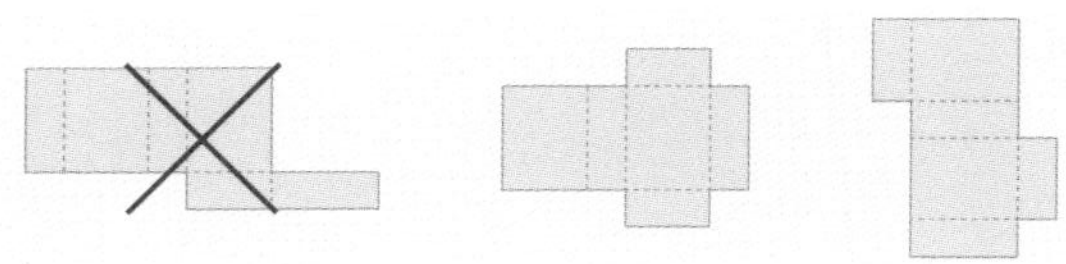

7

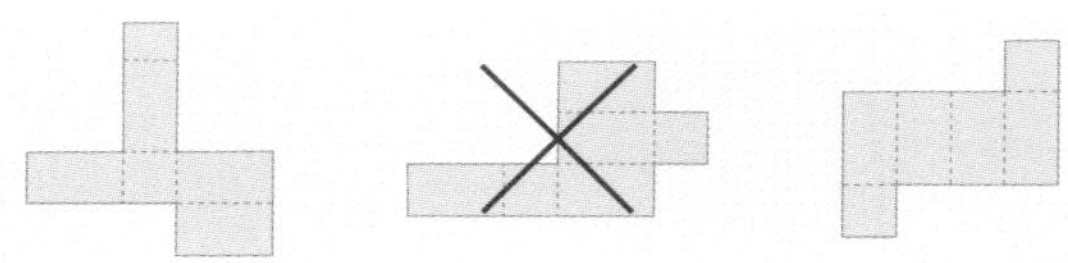

## 1일 펼친 모양

직육면체의 전개도를 올바르게 그린 것에 ○표 하시오.

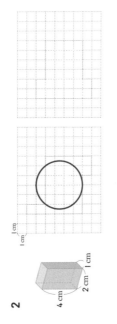

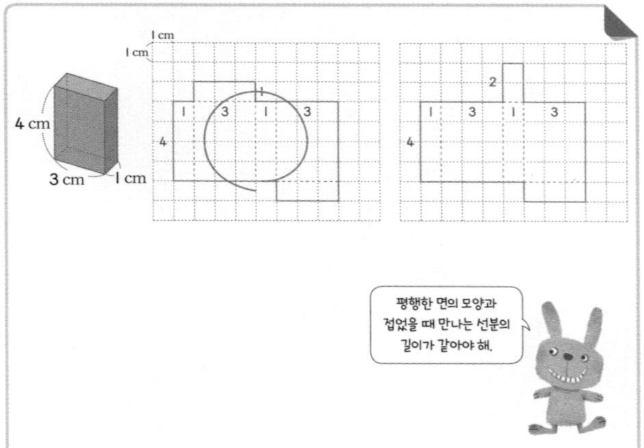


**1**

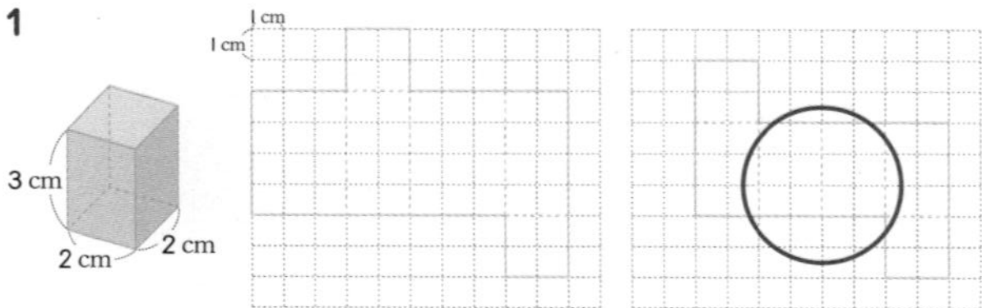


전개도가 옳은지 확인할 때는

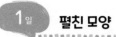

1. 높이가 맞는지 확인합니다.
2. 옆면의 모서리의 길이가 전개도에 번갈아 나오는지 확인합니다.
3. 밑면의 둘레와 만나는 모서리의 길이를 확인합니다.

**2**

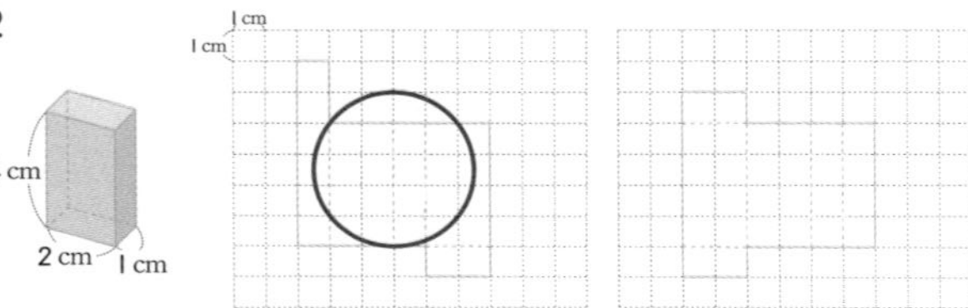


**3**

**4**

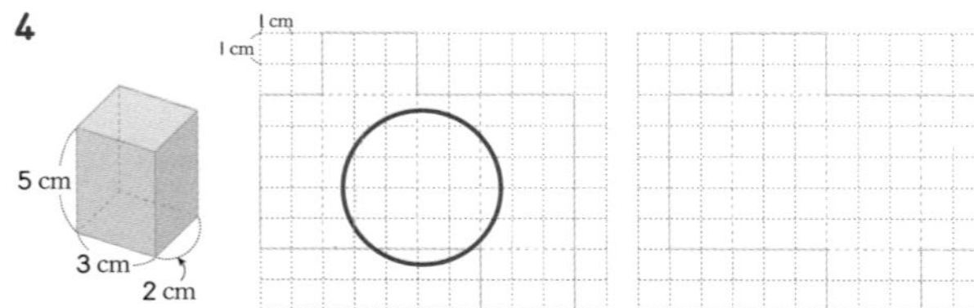

## 2일 빠진 부분 그리기

연관 교구: 모눈종이

전개도에서 빠진 부분을 그려 넣으시오.

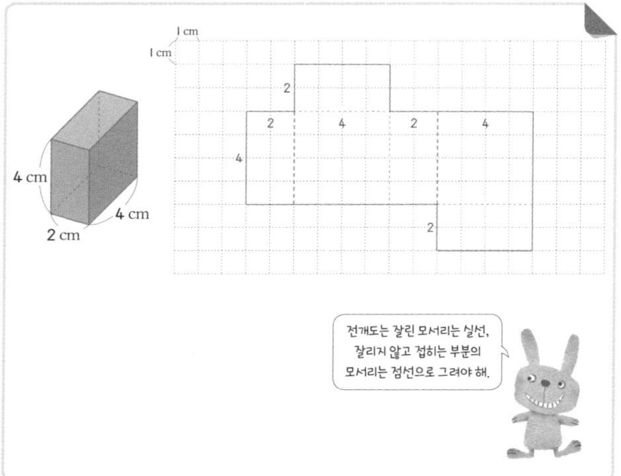


1

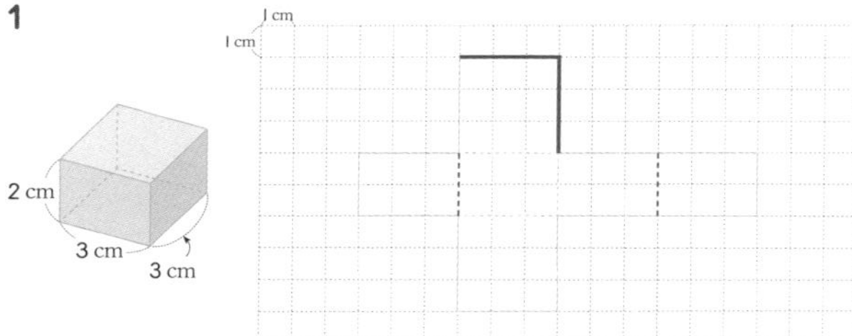


전개도의 테두리는 모두 실선으로 나타내고, 전개도 안의 접히는 선은 점선으로 나타냅니다.

2

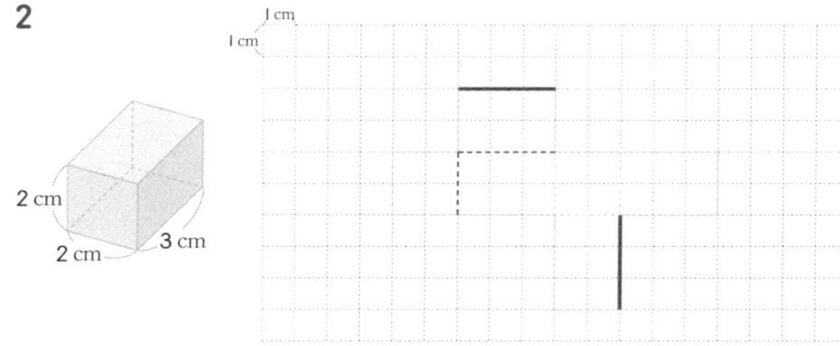


3

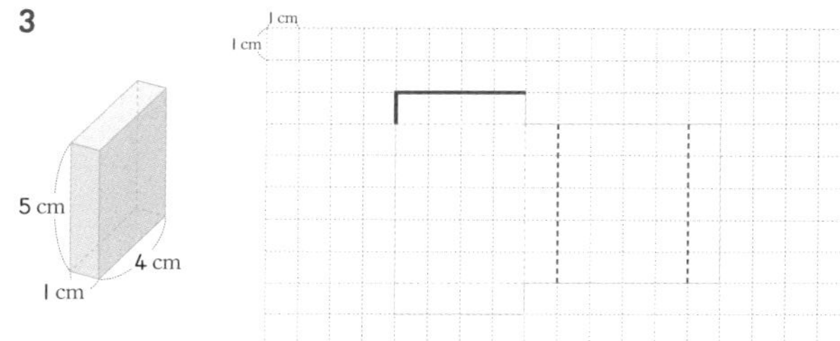


4

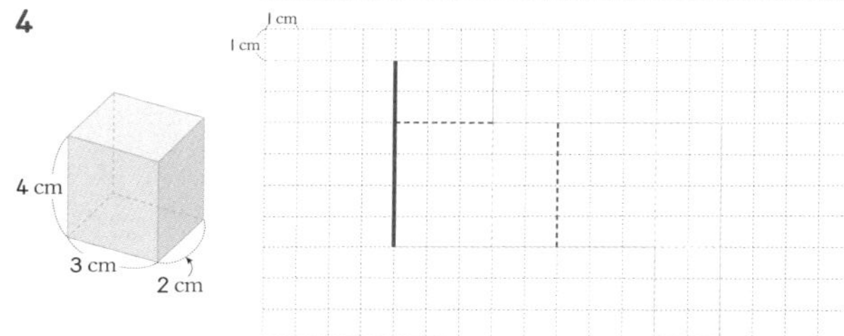

본문 42~43쪽

## 3일 떨어진 두 면 그리기

연관 교구: 모눈종이

점선 부분에 알맞은 면을 연결하여 그려 전개도를 완성하시오.

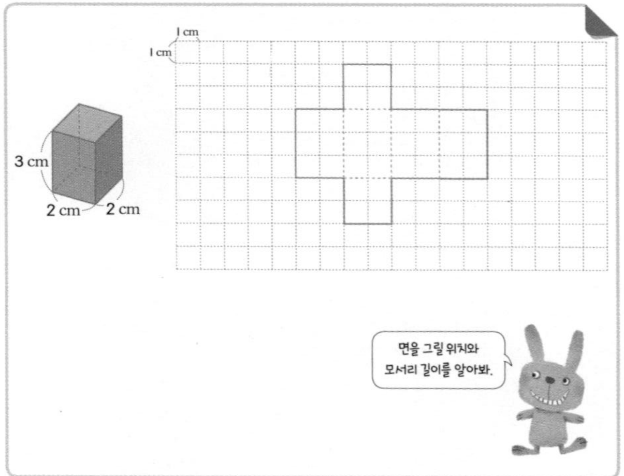


1

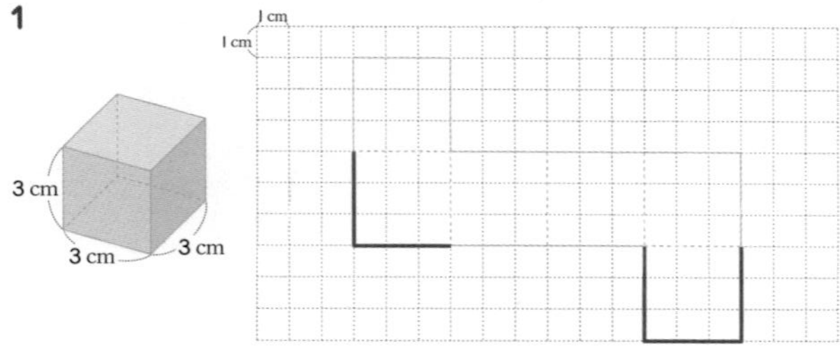


2

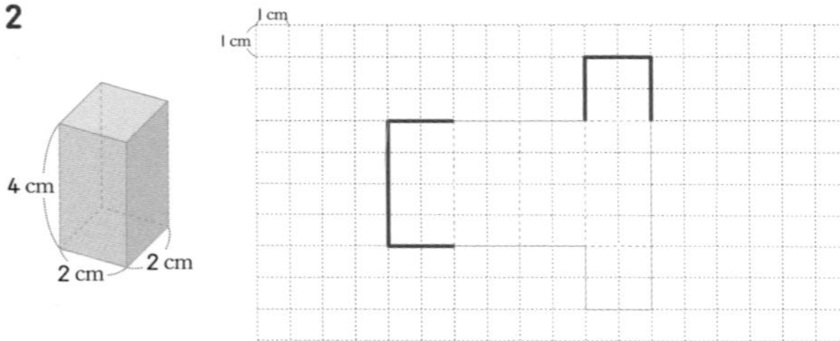


3

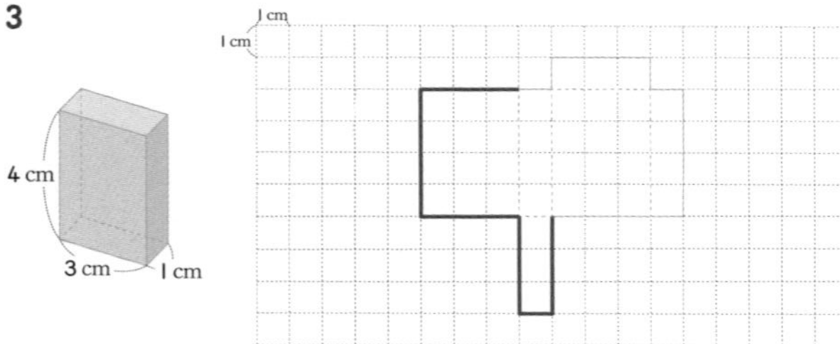


4

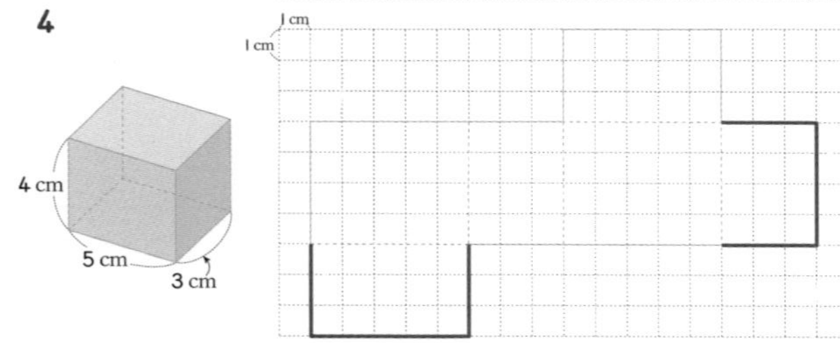

# 4일 연결된 두 면 그리기

연관 교구: 모눈종이

점선 부분에 알맞은 면을 연결하여 그려 전개도를 완성하시오.

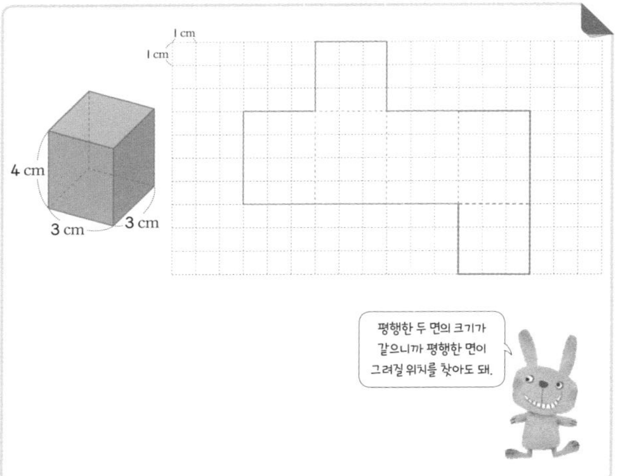


1

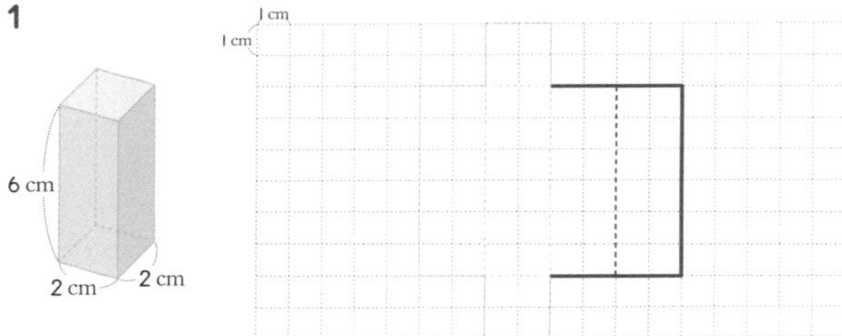


2

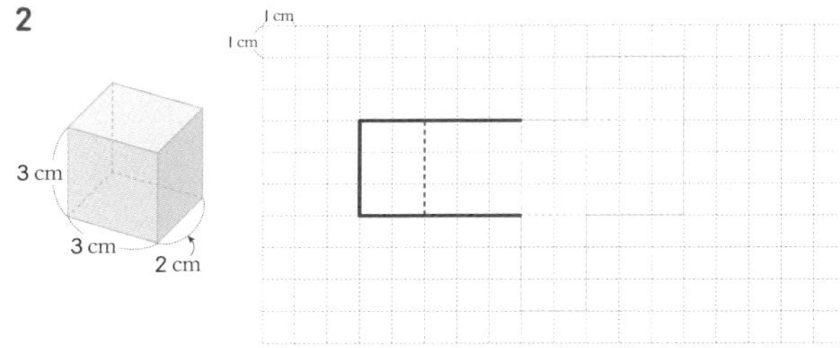


3

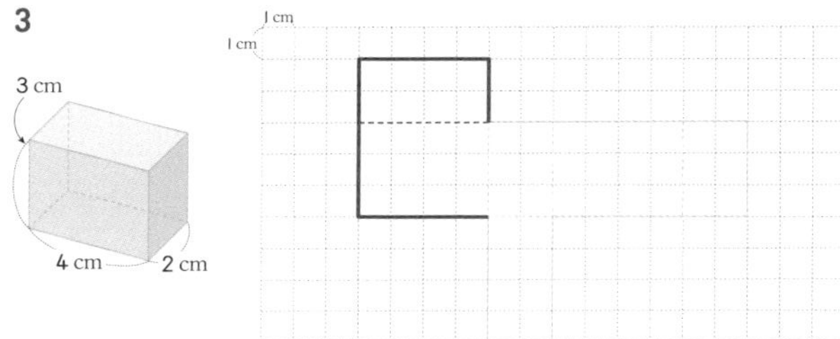


4

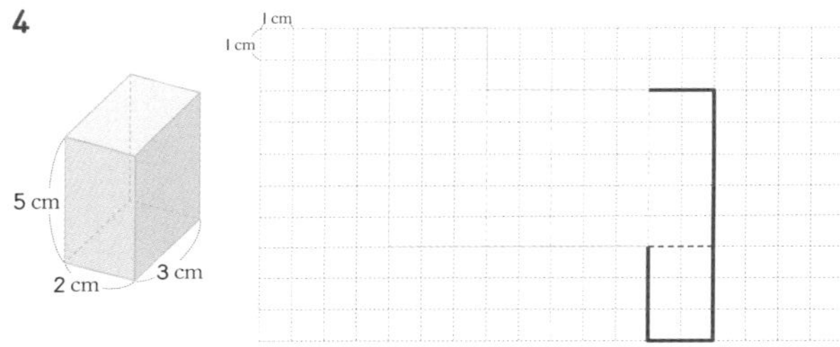

5일 **전개도 접기**

연관 교구: 모눈종이

전개도를 접었을 때 만들어지는 직육면체에 ◯표 하시오.

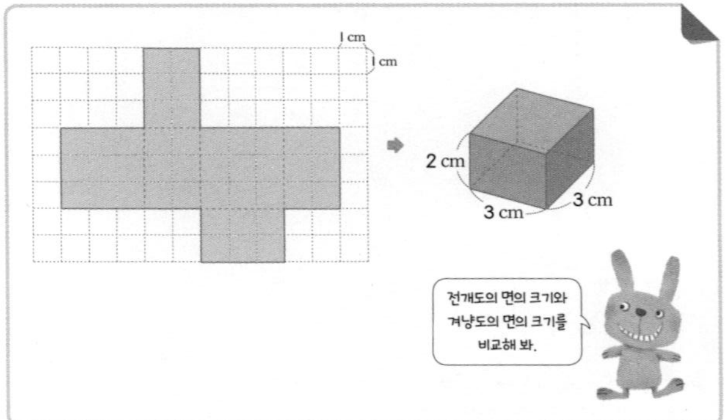


1

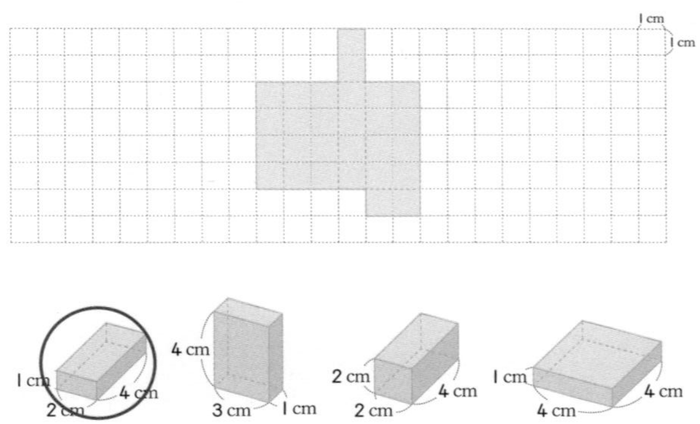


2

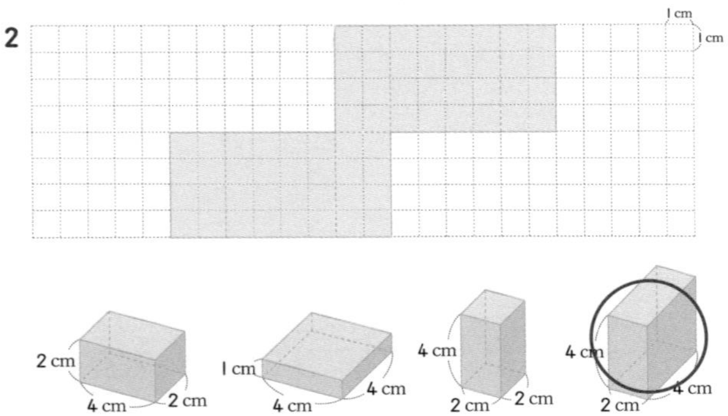


3

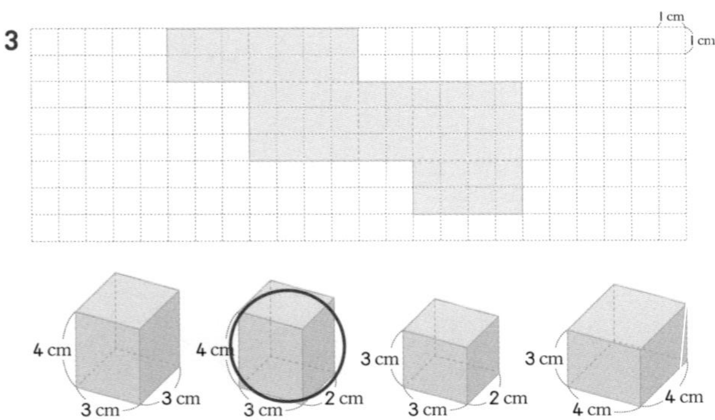

## 확인학습

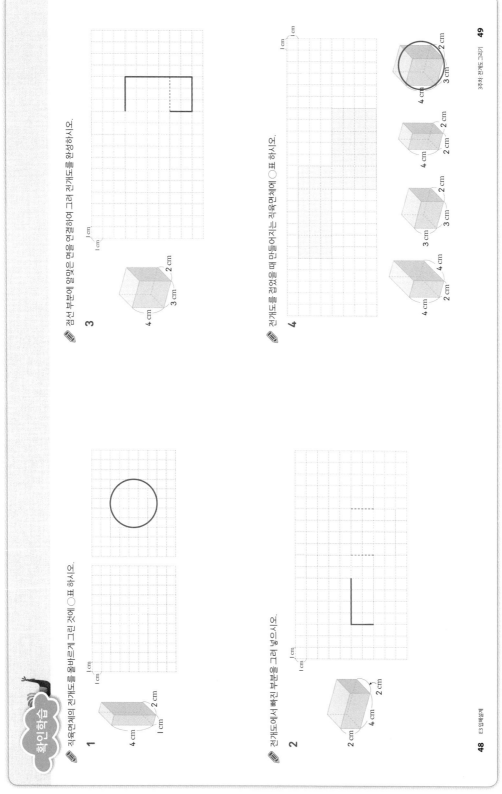

직육면체의 전개도를 올바르게 그린 것에 ◯표 하시오.

**1**

전개도에서 빠진 부분을 그려 넣으시오.

**2**

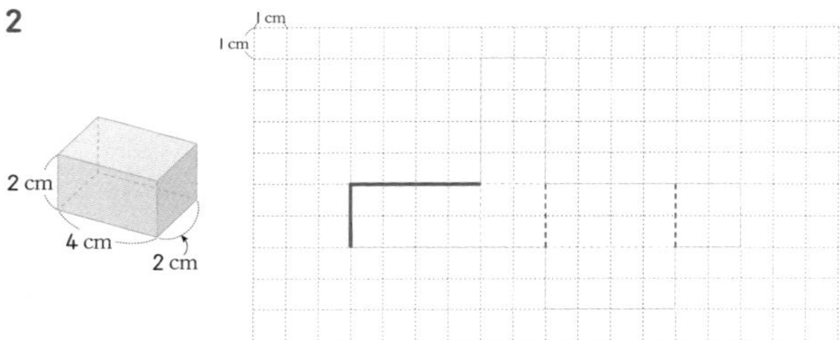


점선 부분에 알맞은 면을 연결하여 그려 전개도를 완성하시오.

**3**

전개도를 접었을 때 만들어지는 직육면체에 ◯표 하시오.

**4**

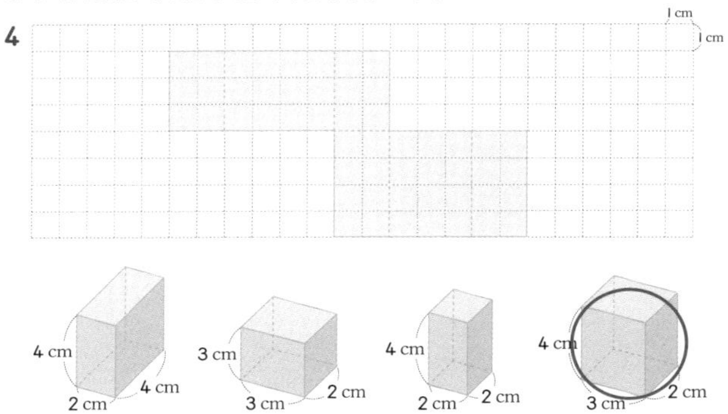

## 1일 전개도의 대각선(1)

연관 교구: 지오플릭

전개도의 면에 선을 그었습니다. 이 전개도로 직육면체를 만들었을 때 직육면체에 나타나는 선을 그려 보시오.

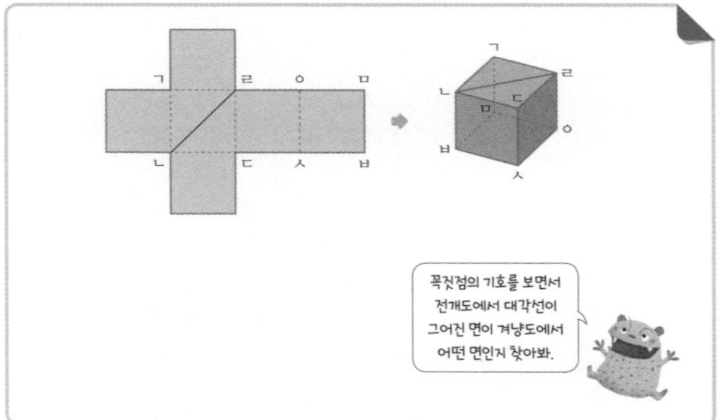

꼭짓점의 기호를 보면서 전개도에서 대각선이 그어진 면이 겨냥도에서 어떤 면인지 찾아봐.


1

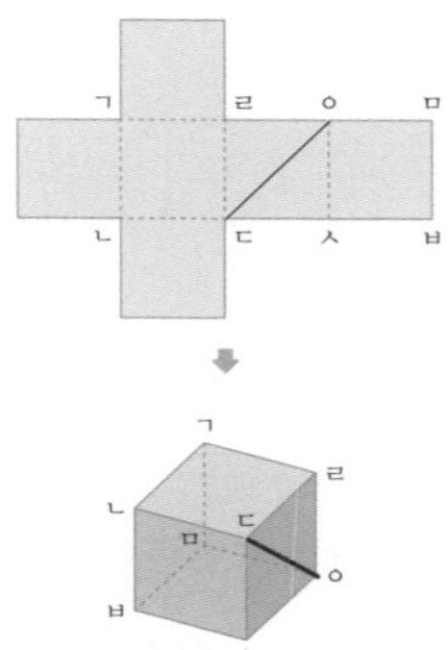

2

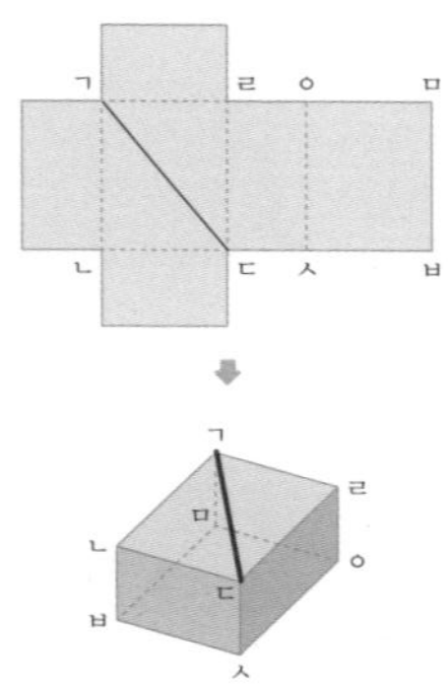

전개도에서 선이 그어진 꼭짓점의 기호를 겨냥도에서 찾아 꼭짓점을 잇습니다. 기호가 없는 꼭짓점은 만나는 꼭짓점의 기호를 써서 찾습니다.

3

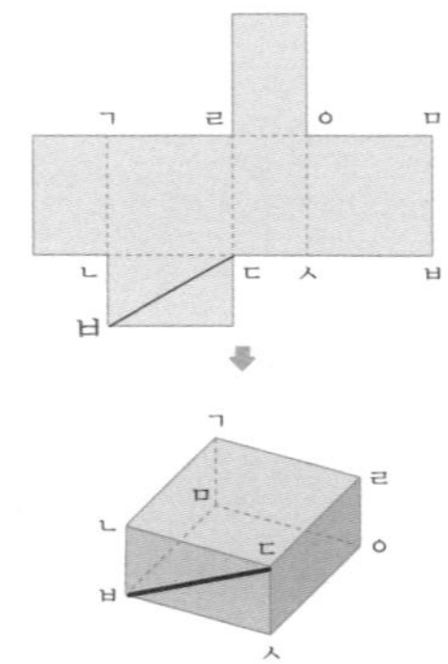

4

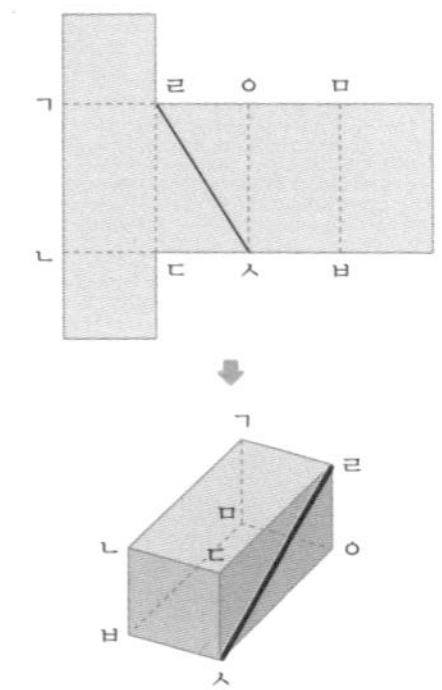

5

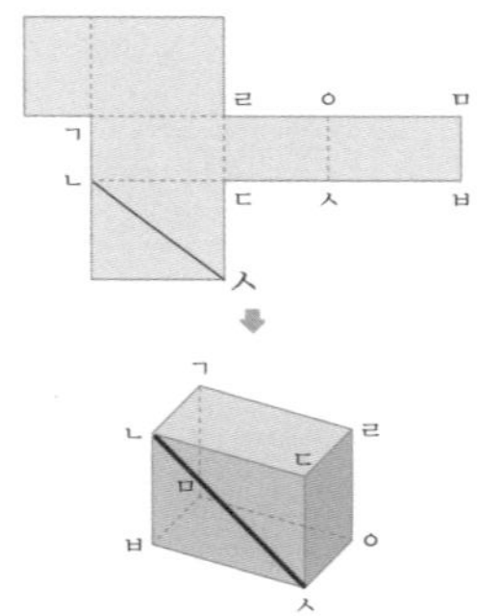

6

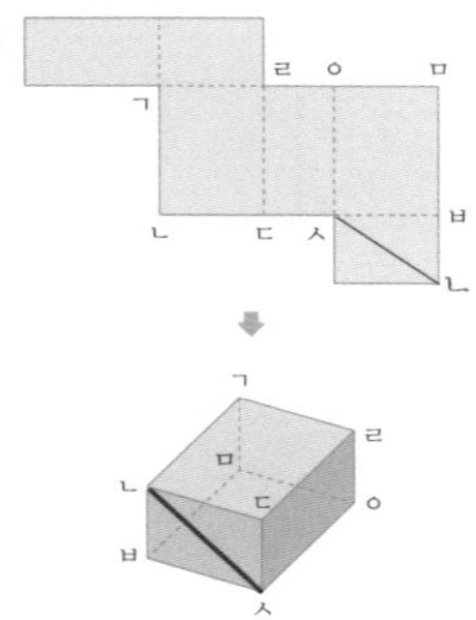

## 2일 전개도의 대각선(2)

연관 교구: 지오폴릭

전개도의 면에 선을 그었습니다. 이 전개도로 직육면체를 만들었을 때 직육면체에 나타나는 선을 그려 보시오.

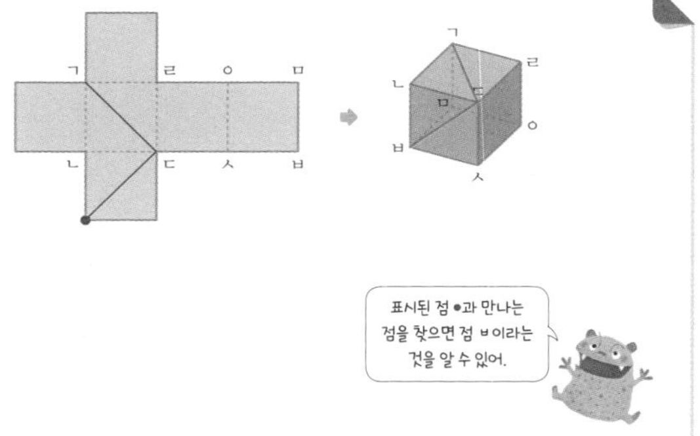

표시된 점 ●과 만나는 점을 찾으면 점 ㅂ이라는 것을 알 수 있어.


1

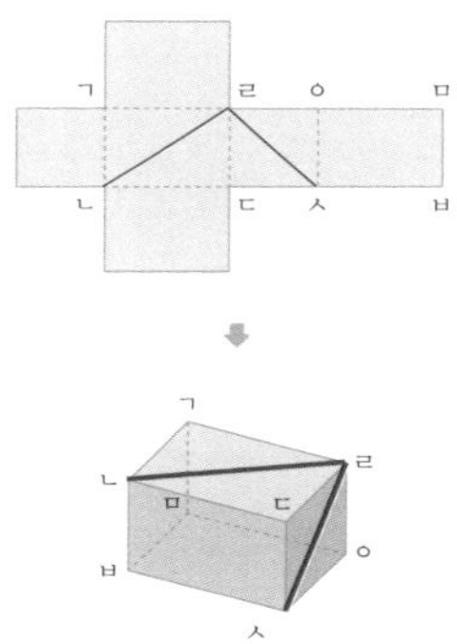

2

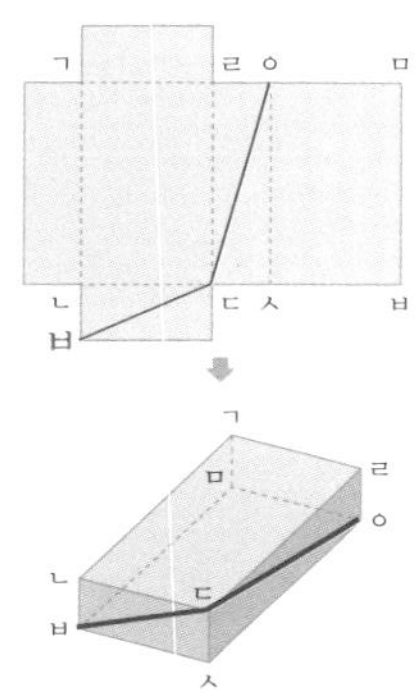

3

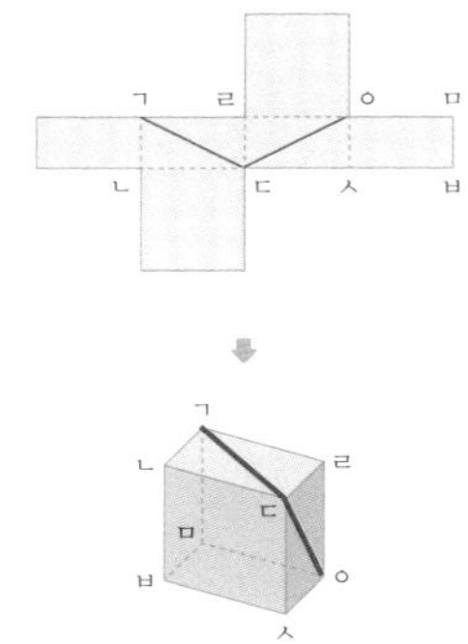

4

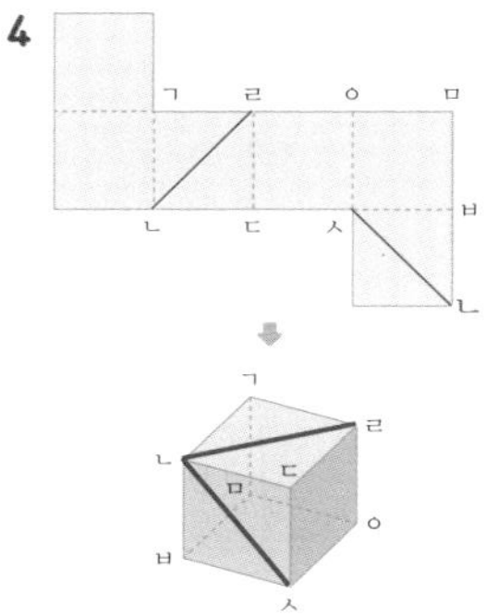

5

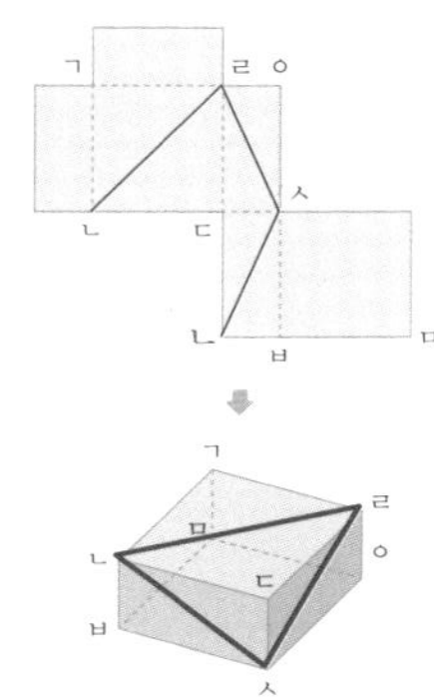

6

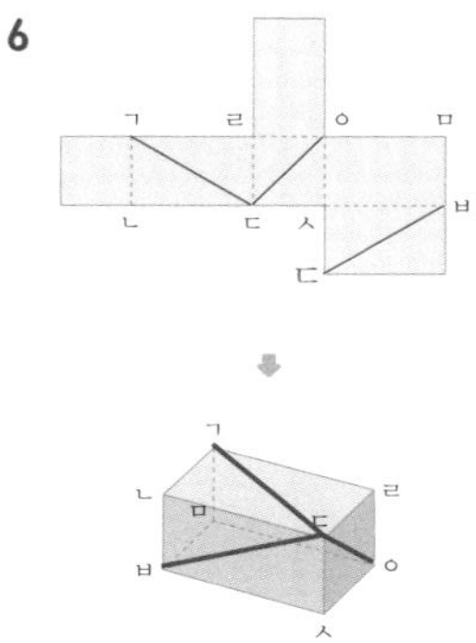

전개도에서 선이 그어진 꼭짓점의 기호를 겨냥도에서 찾아 꼭짓점을 잇습니다. 기호가 없는 꼭짓점은 만나는 꼭짓점의 기호를 써서 찾습니다.

## 3일 겨냥도의 대각선(1)

연관 교구: 지오플릭

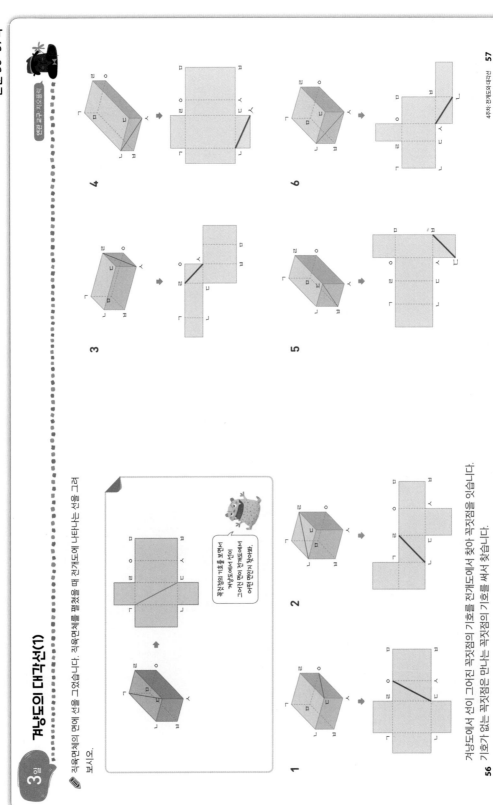

직육면체의 면에 선을 그었습니다. 직육면체를 펼쳤을 때 전개도에 나타나는 선을 그려 보시오.

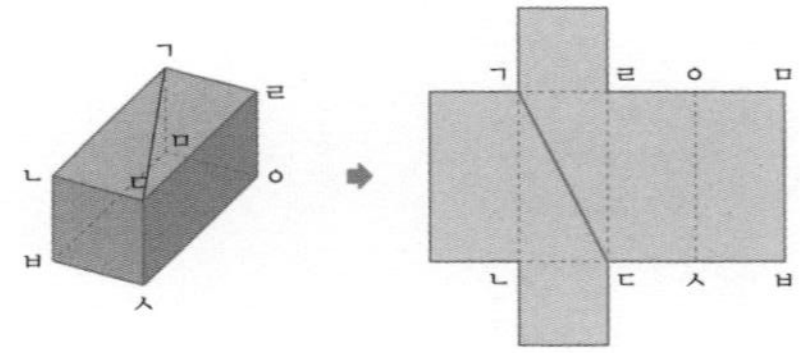

꼭짓점의 기호를 보면서 겨냥도에서 선이 그어진 면이 전개도에서 어떤 면인지 찾아봐.

**1**

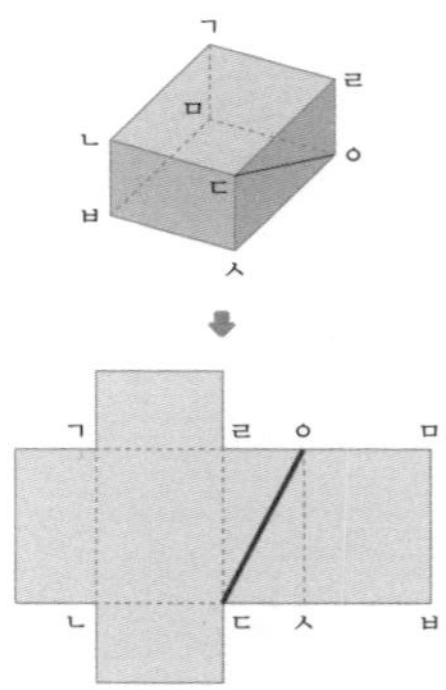

**2**

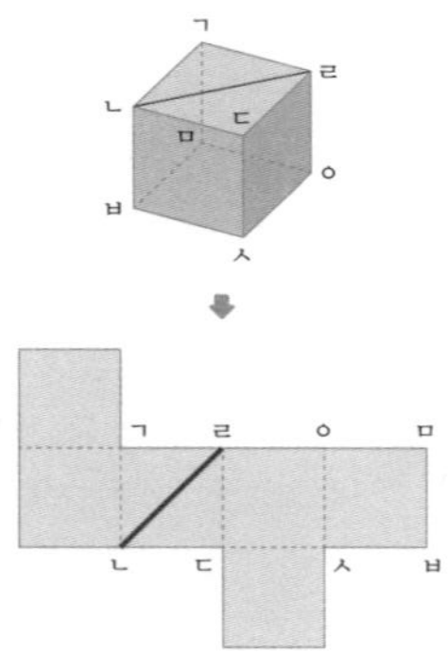

**3**

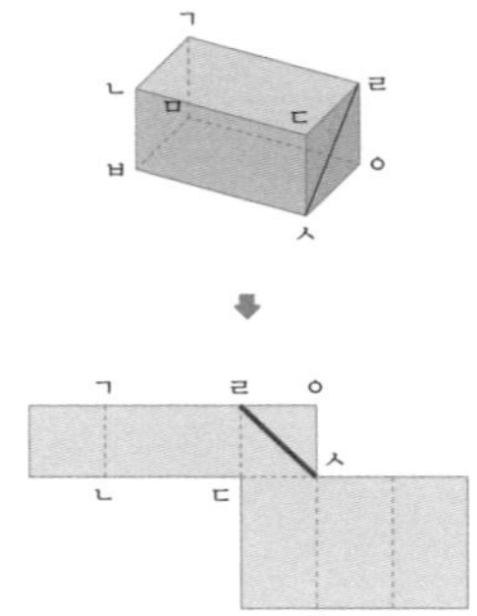

**4**

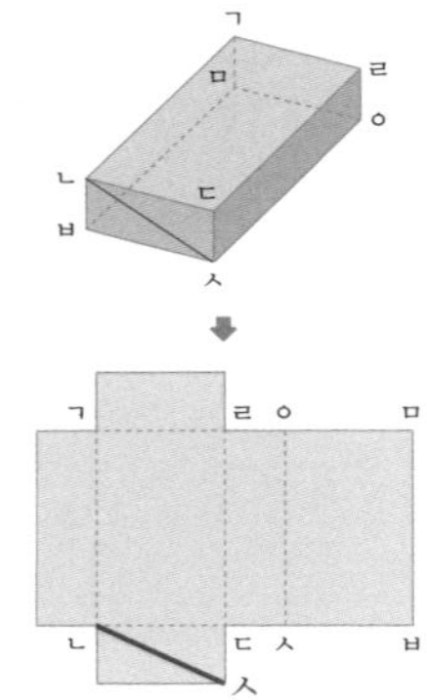

**5**

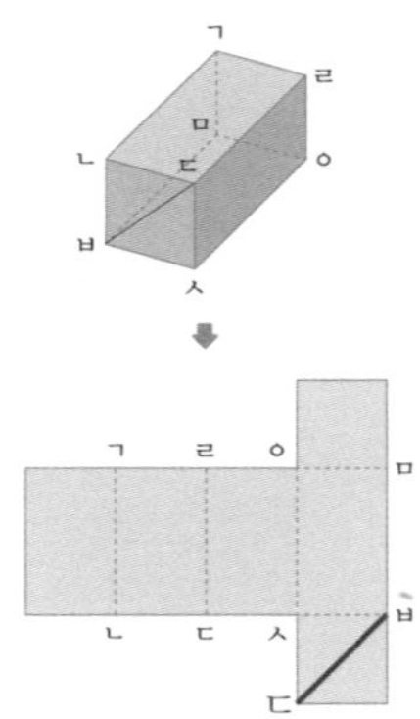

**6**

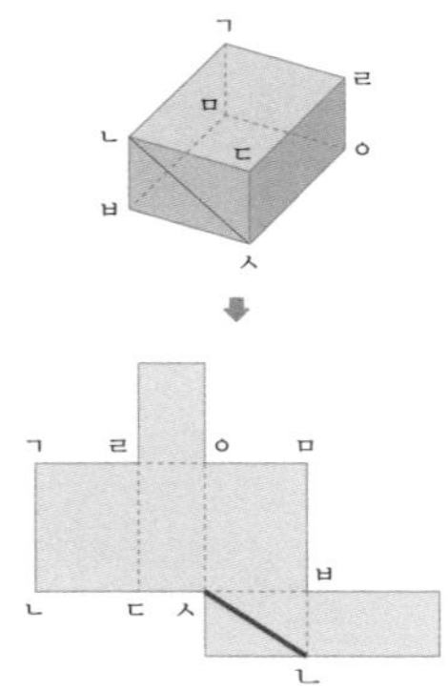

겨냥도에서 선이 그어진 꼭짓점의 기호를 전개도에서 찾아 꼭짓점을 잇습니다.
기호가 없는 꼭짓점은 만나는 꼭짓점의 기호를 써서 찾습니다.

4일 **겨냥도의 대각선(2)**

연관 교구: 지오플릭

직육면체의 면에 선을 그었습니다. 직육면체를 펼쳤을 때 전개도에 나타나는 선을 그려 보시오.

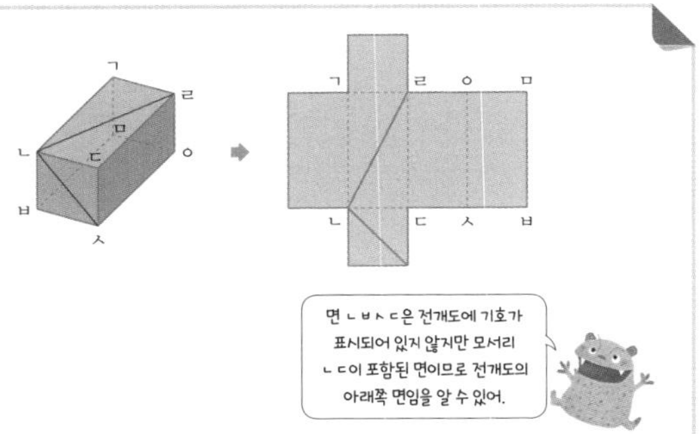

ㄱ
ㄴ
ㄷ
ㄹ
ㅁ
ㅂ
ㅅ
ㅇ
면 ㄴㅂㅅㄷ은 전개도에 기호가 표시되어 있지 않지만 모서리 ㄴㄷ이 포함된 면이므로 전개도의 아래쪽 면임을 알 수 있어.


1

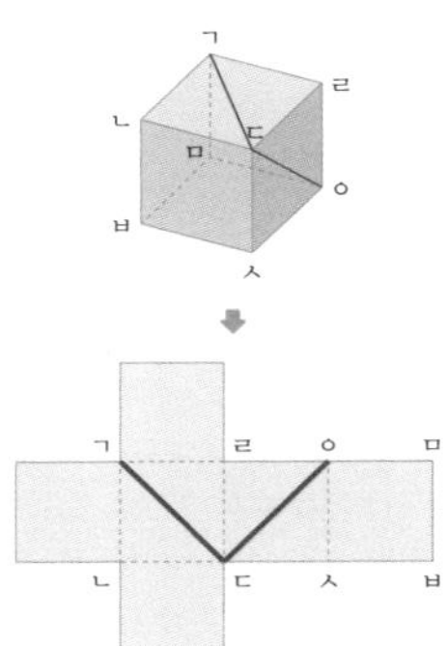

2

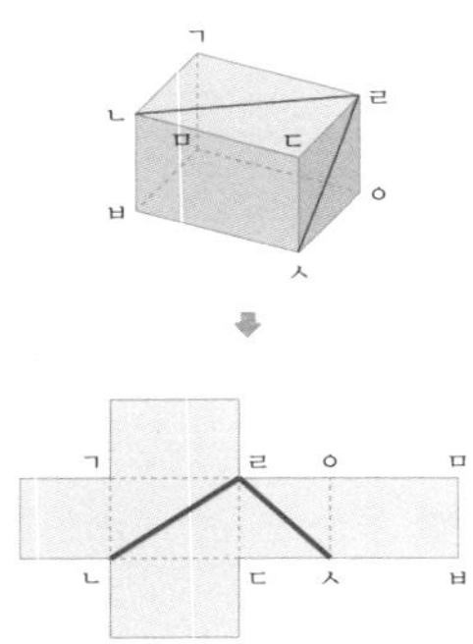

겨냥도에서 선이 그어진 꼭짓점의 기호를 전개도에서 찾아 꼭짓점을 잇습니다. 기호가 없는 꼭짓점은 만나는 꼭짓점의 기호를 써서 찾습니다.

3

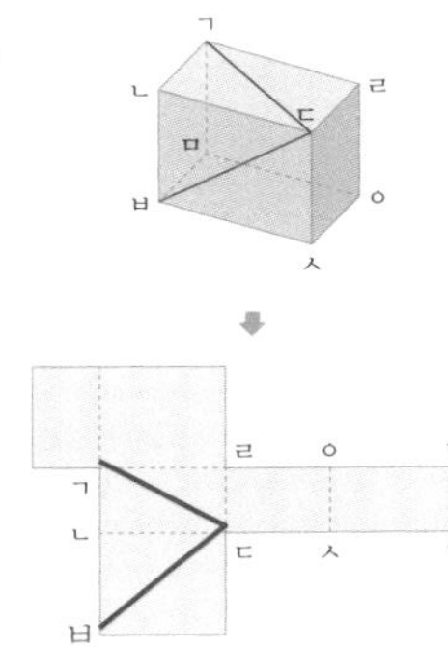

4

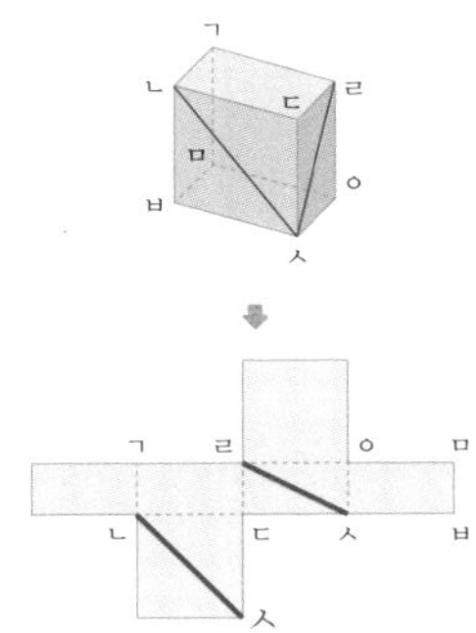

5

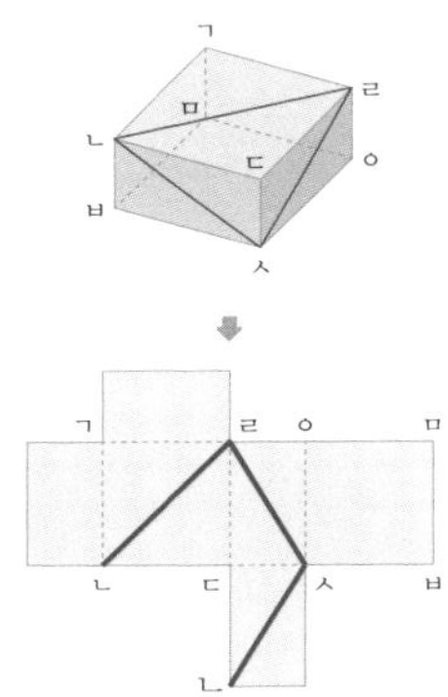

6

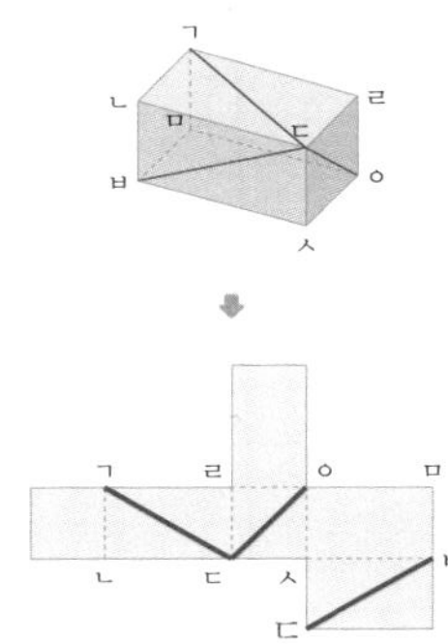

## 5일 전개도 접기

연관 교구: 지오플릭

전개도의 면에 선을 그었습니다. 이 전개도로 만들어지는 직육면체에 ○표 하시오.

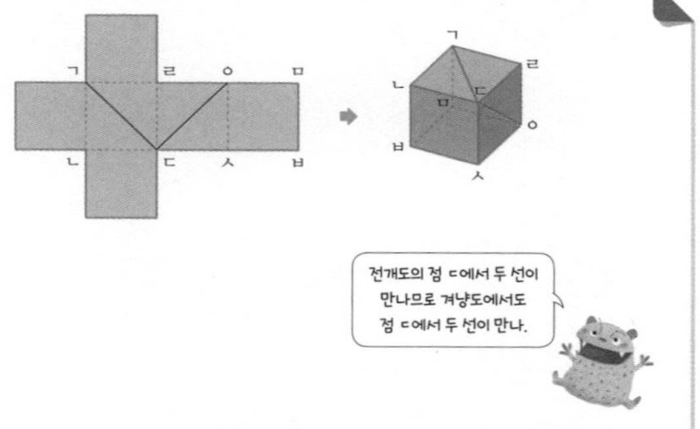

전개도의 점 ㄷ에서 두 선이 만나므로 겨냥도에서도 점 ㄷ에서 두 선이 만나.


**1**

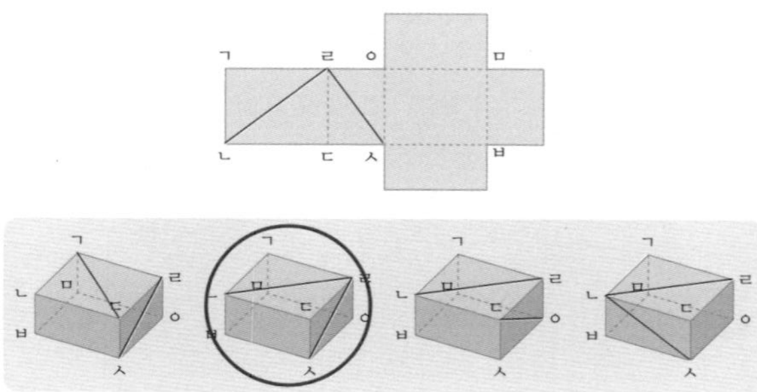

**2**

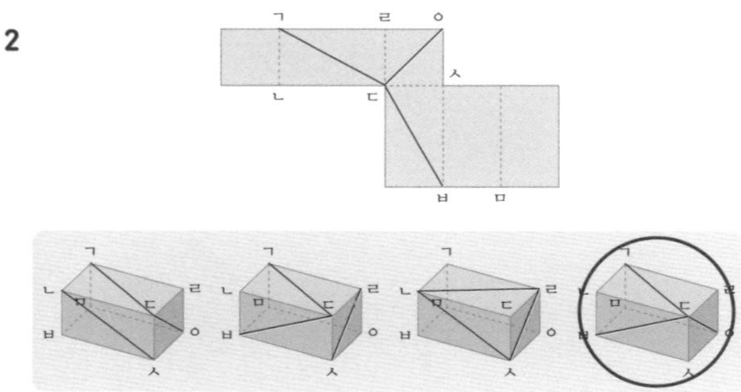

**3**

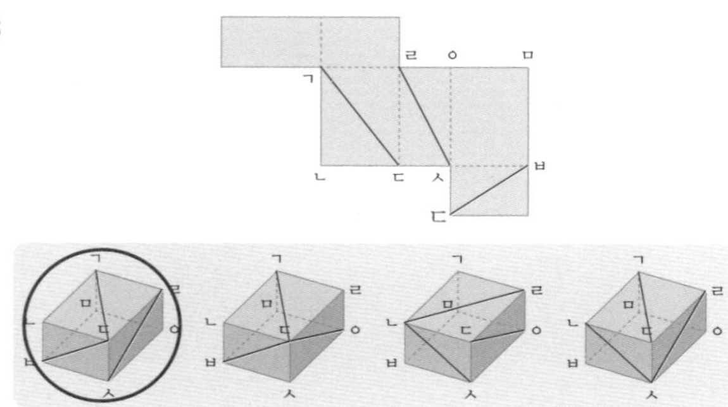

점 ㄷ이 서로 만나는 점이므로 전개도에서 떨어져 있는 듯 보이지만 점 ㄷ에서 두 선이 만납니다.

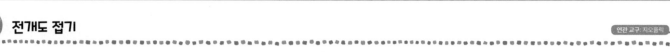

## 확인학습

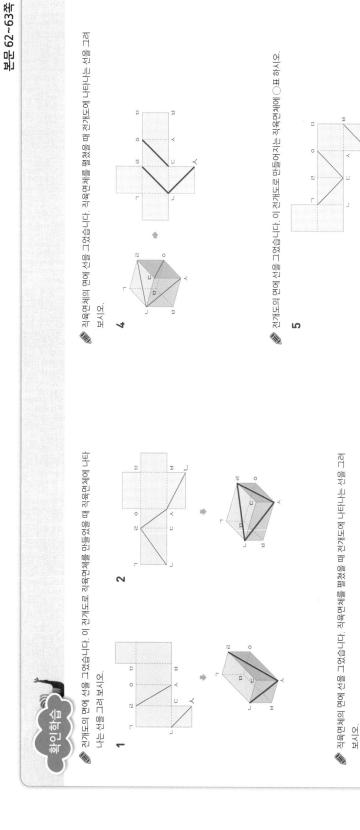

전개도의 면에 선을 그었습니다. 이 전개도로 직육면체를 만들었을 때 직육면체에 나타나는 선을 그려 보시오.

**1**

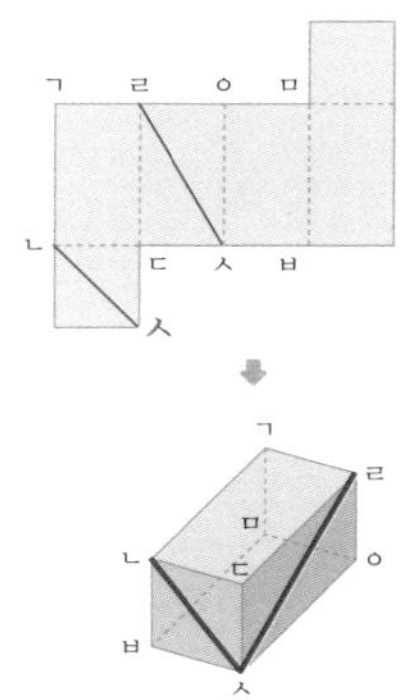


**2**

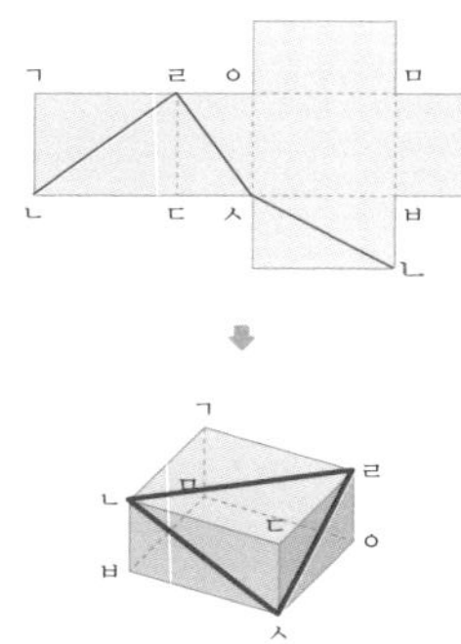


직육면체의 면에 선을 그었습니다. 직육면체를 펼쳤을 때 전개도에 나타나는 선을 그려 보시오.

**3**

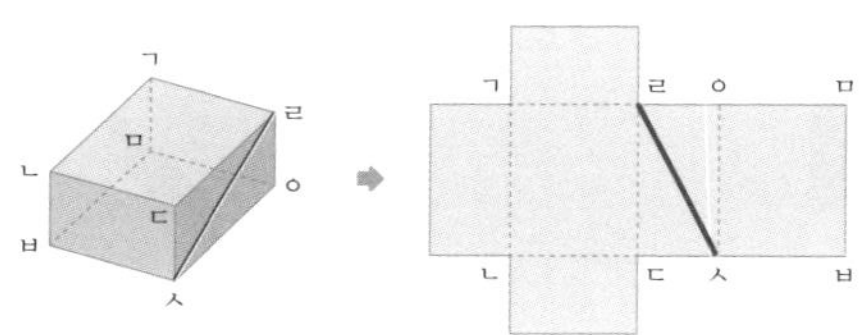


직육면체의 면에 선을 그었습니다. 직육면체를 펼쳤을 때 전개도에 나타나는 선을 그려 보시오.

**4**

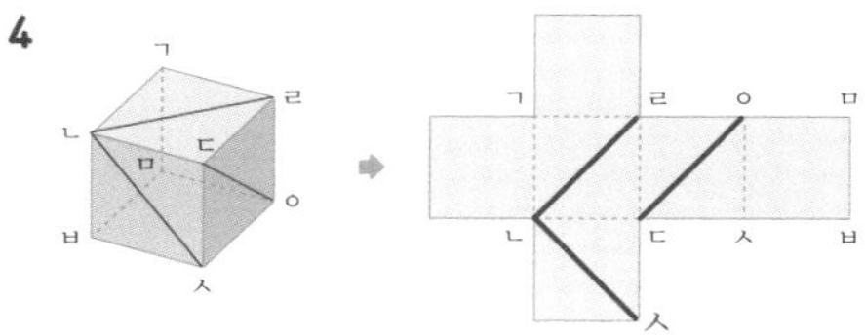


전개도의 면에 선을 그었습니다. 이 전개도로 만들어지는 직육면체에 ○표 하시오.

**5**

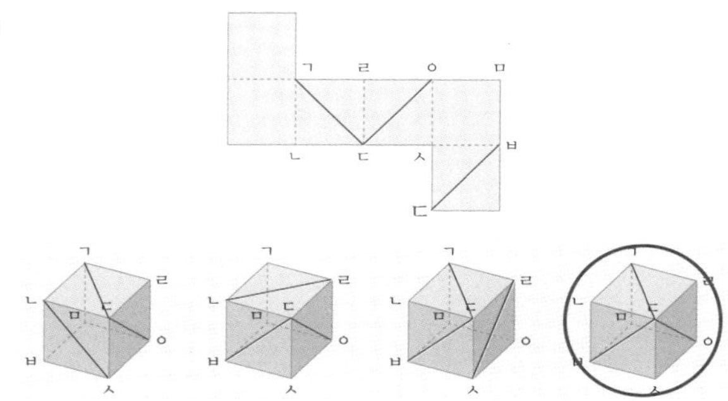

# 형성 평가 | 본문 66~67쪽

## 1회차 형성 평가

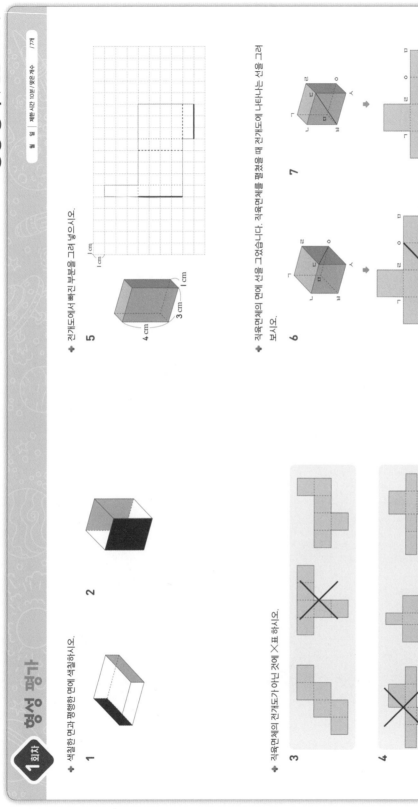

월 일 | 제한 시간 10분 / 맞은 개수 /7개

✚ 색칠한 면과 평행한 면에 색칠하시오.

1

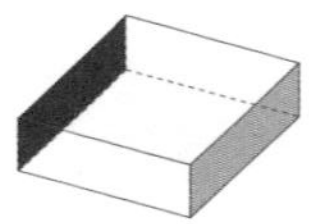

2

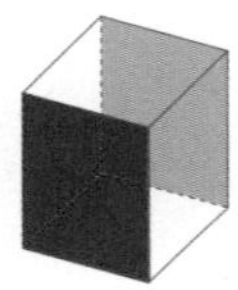

✚ 직육면체의 전개도가 아닌 것에 ×표 하시오.

3

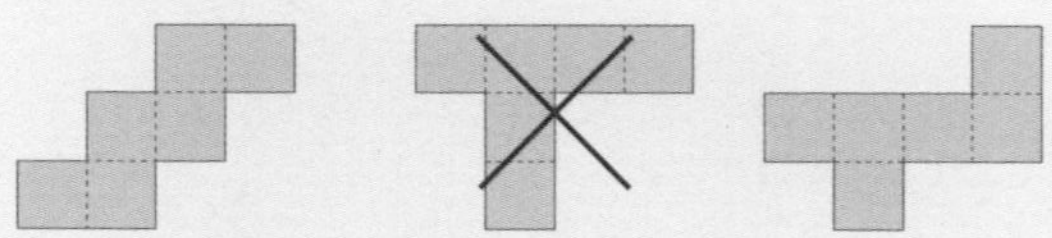

4

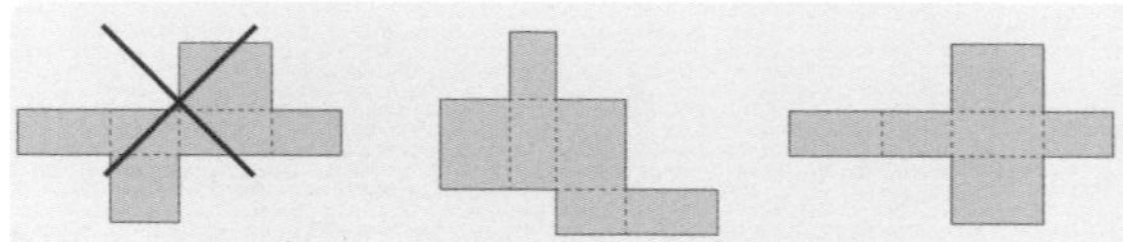

✚ 전개도에서 빠진 부분을 그려 넣으시오.

5

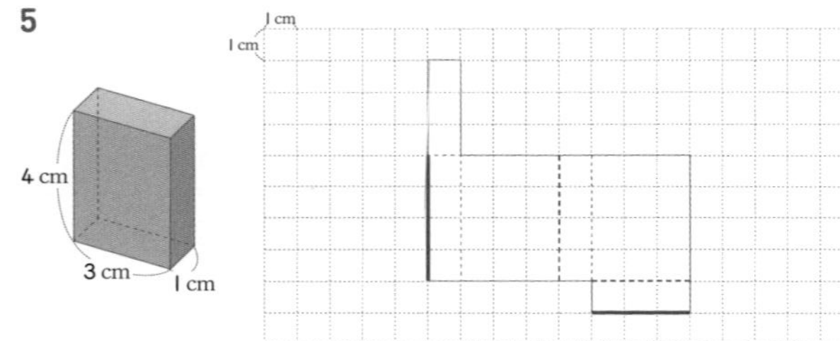


✚ 직육면체의 면에 선을 그었습니다. 직육면체를 펼쳤을 때 전개도에 나타나는 선을 그려 보시오.

6

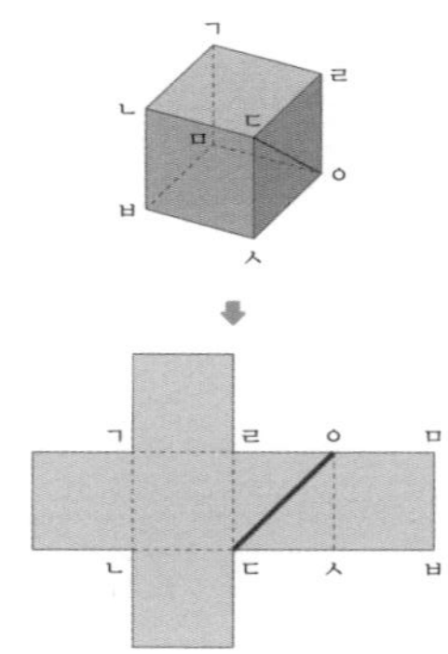


7

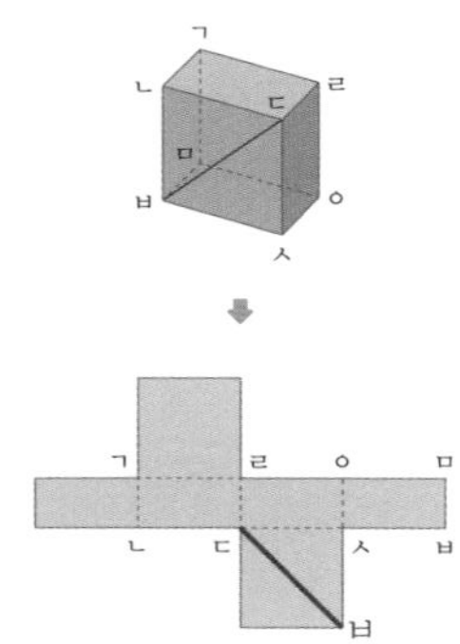

# 2회차 형성 평가

월 일 | 제한 시간 10분 / 맞은 개수 /7개

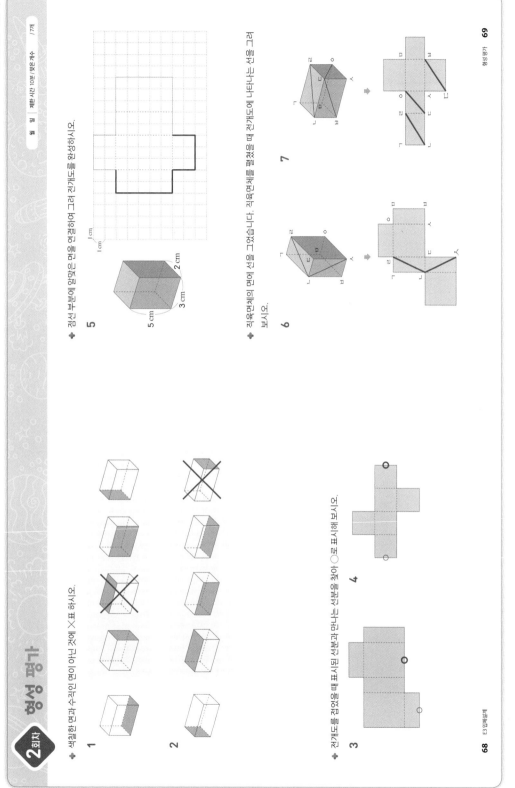

✚ 색칠한 면과 수직인 면이 아닌 것에 ╳표 하시오.

1

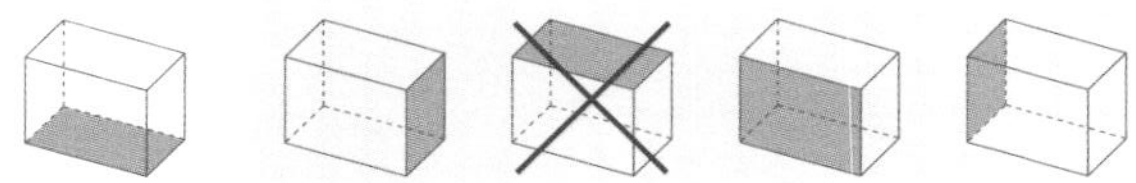

2

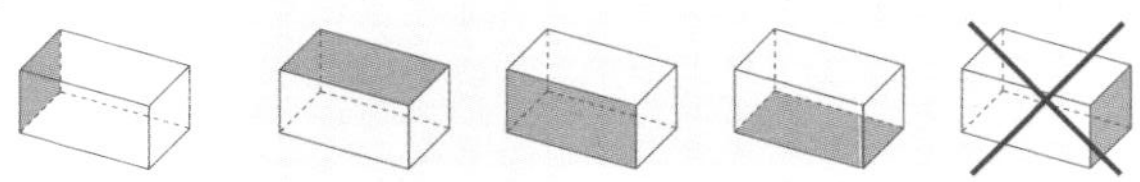

✚ 전개도를 접었을 때 표시된 선분과 만나는 선분을 찾아 ◯로 표시해 보시오.

3

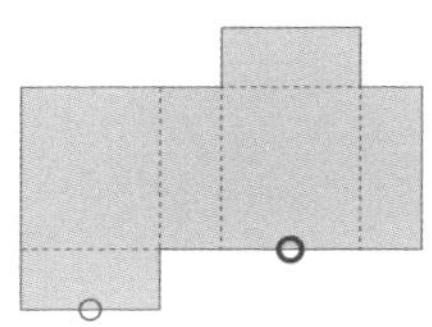

4

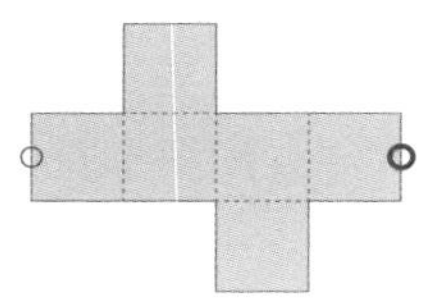

✚ 점선 부분에 알맞은 면을 연결하여 그려 전개도를 완성하시오.

5

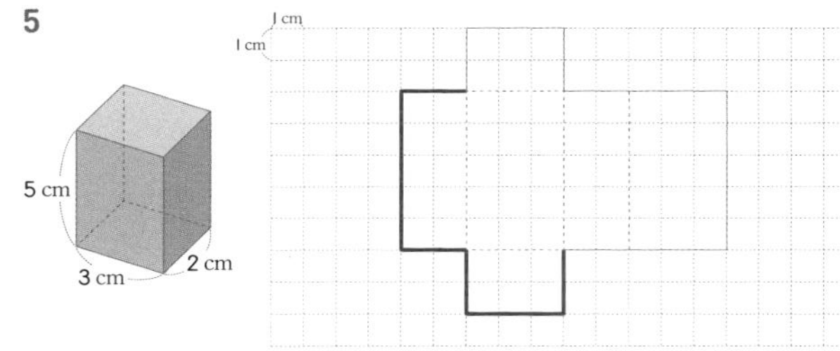


✚ 직육면체의 면에 선을 그었습니다. 직육면체를 펼쳤을 때 전개도에 나타나는 선을 그려 보시오.

6

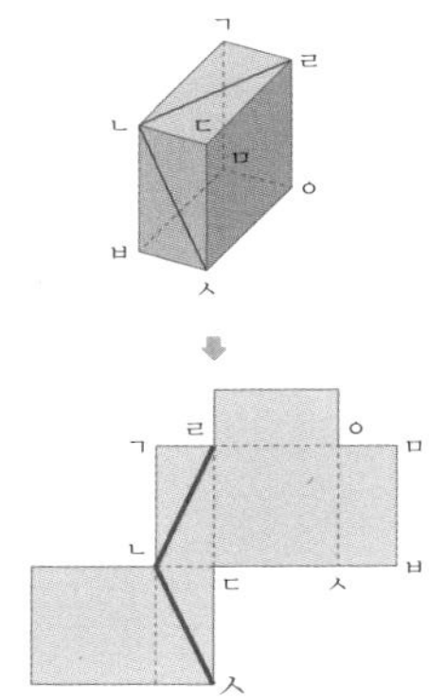

7

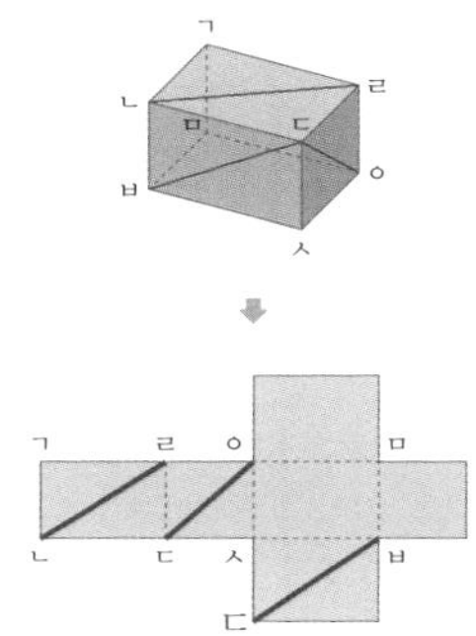

## 3회차 형성 평가

월 일 | 제한 시간 10분 / 맞은 개수 /6개

✚ 직육면체가 아닌 것에 ╳표 하시오.

1

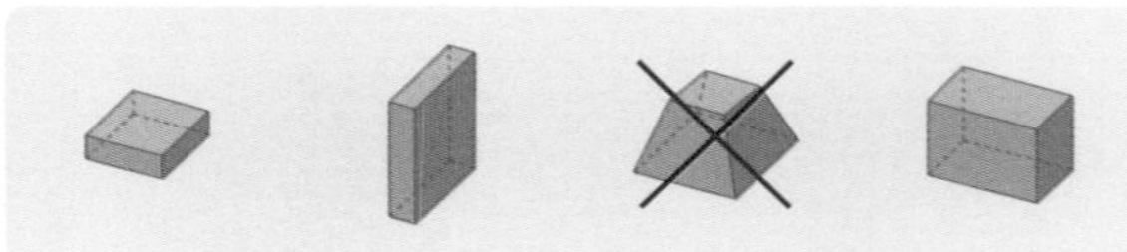

2

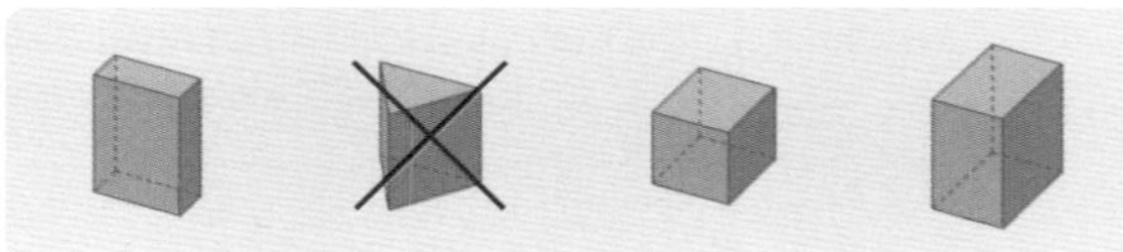

✚ 색칠된 면을 화살표 방향으로 돌렸습니다. 이동한 면을 그려 전개도를 완성하시오.

3

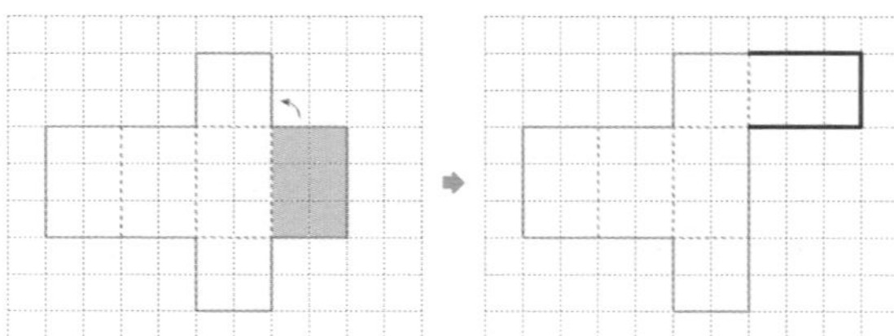

✚ 직육면체의 전개도를 올바르게 그린 것에 ◯표 하시오.

4

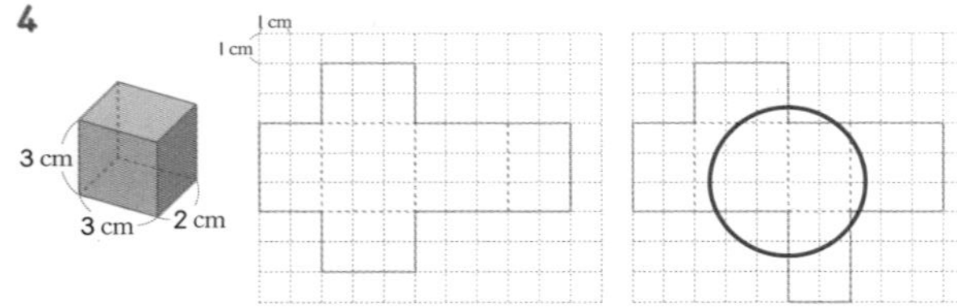


✚ 전개도의 면에 선을 그었습니다. 이 전개도로 직육면체를 만들었을 때 직육면체에 나타나는 선을 그려 보시오.

5

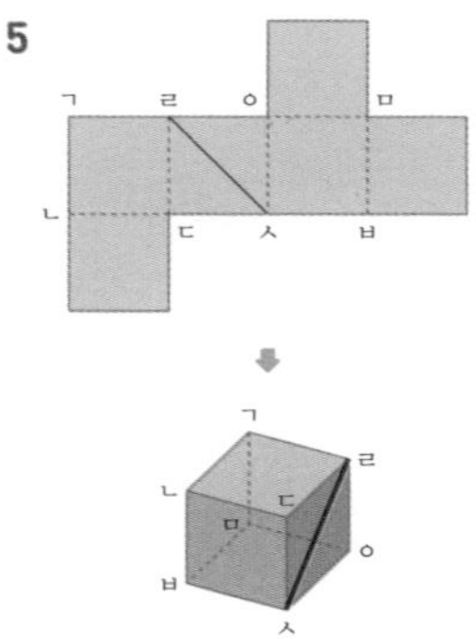


6

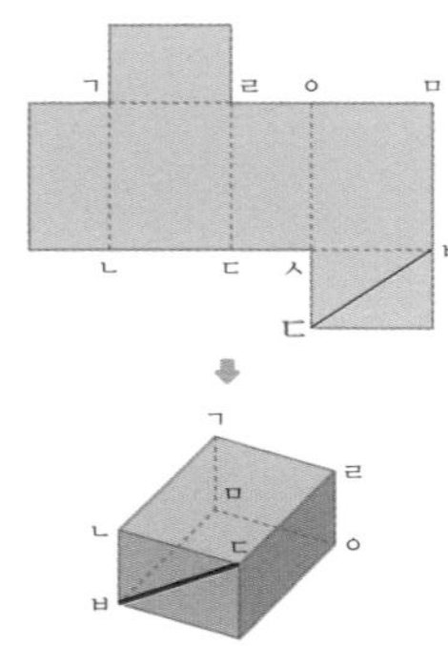

# 4회차 형성 평가

월 일 | 제한 시간 10분 / 맞은 개수 /7개

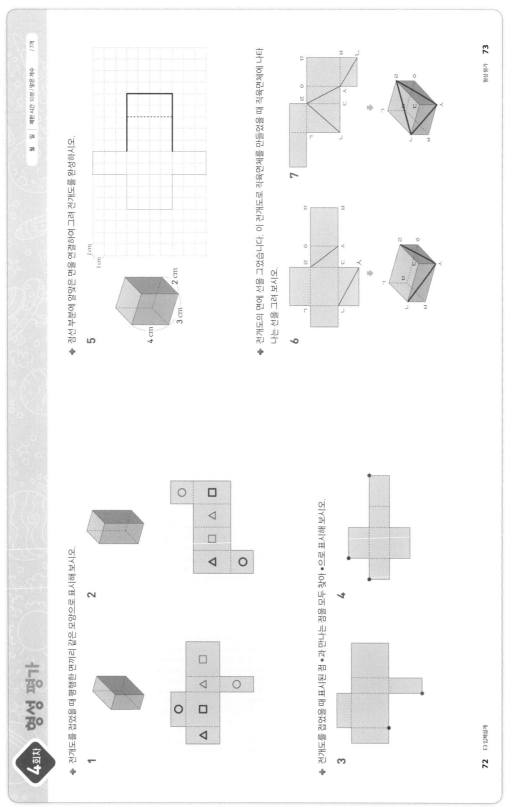

✚ 전개도를 접었을 때 평행한 면끼리 같은 모양으로 표시해 보시오.

1

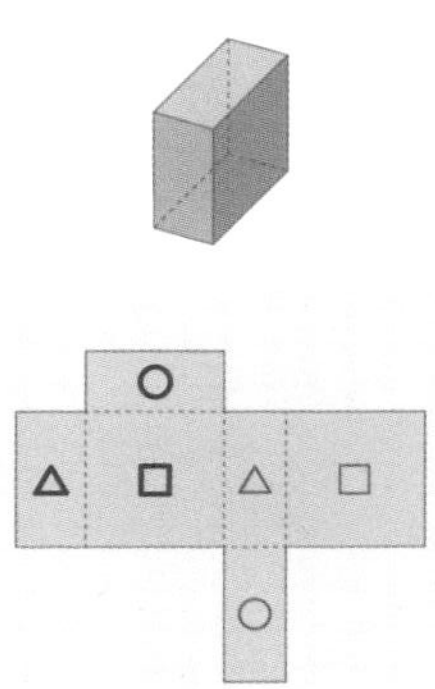

2

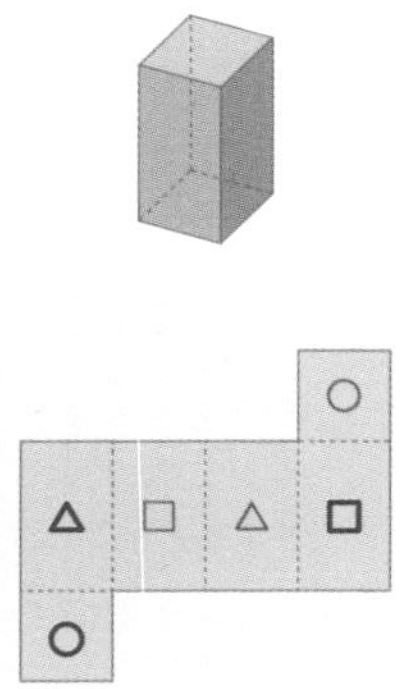

✚ 전개도를 접었을 때 표시된 점 •과 만나는 점을 모두 찾아 •으로 표시해 보시오.

3

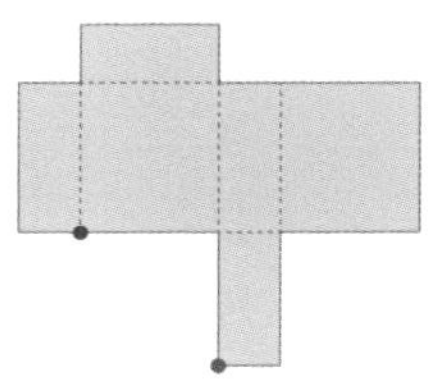

4

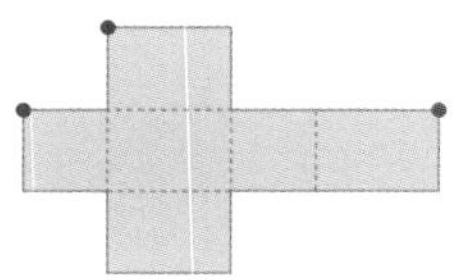

✚ 점선 부분에 알맞은 면을 연결하여 그려 전개도를 완성하시오.

5

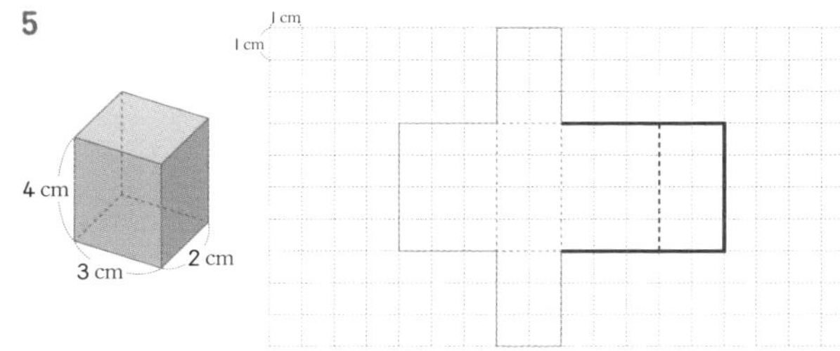


✚ 전개도의 면에 선을 그었습니다. 이 전개도로 직육면체를 만들었을 때 직육면체에 나타나는 선을 그려 보시오.

6

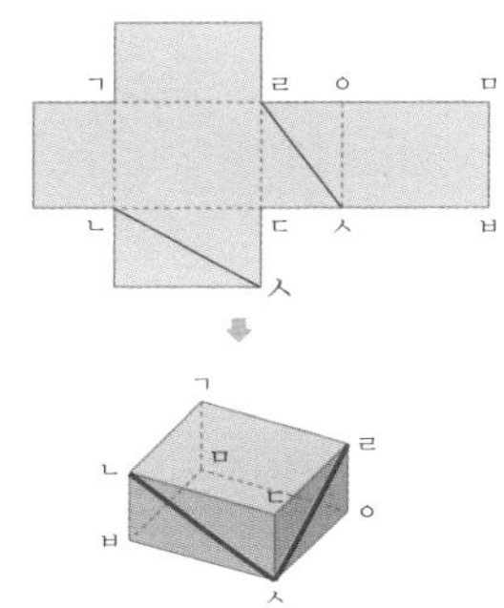


7

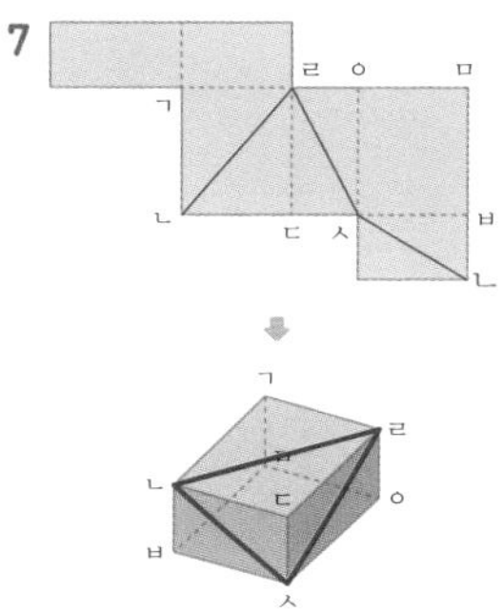

## 5회차 형성 평가

월 일 | 제한 시간 10분 / 맞은 개수 /5개

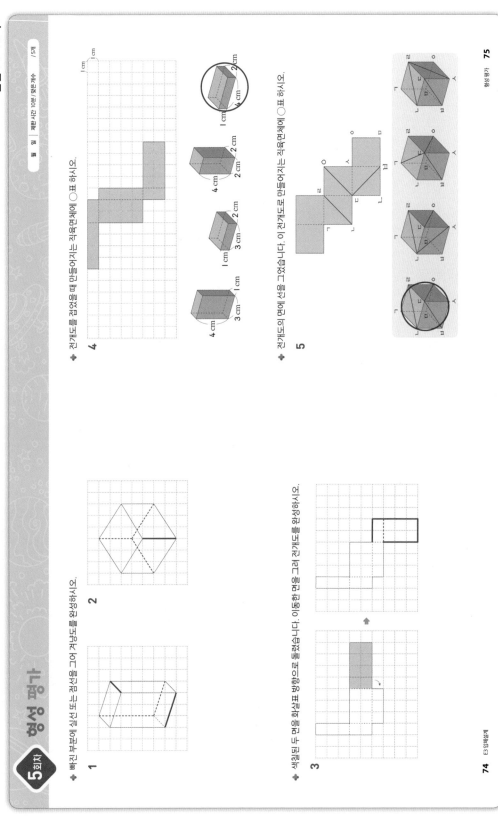

✚ 빠진 부분에 실선 또는 점선을 그어 겨냥도를 완성하시오.

**1**

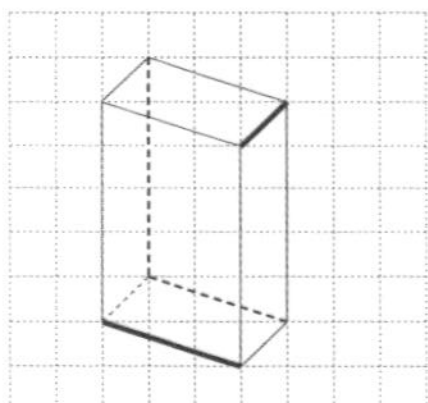

**2**

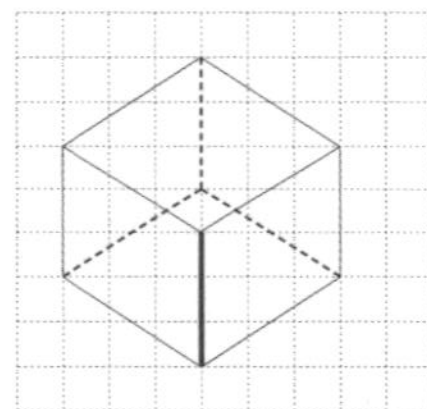

✚ 색칠된 두 면을 화살표 방향으로 돌렸습니다. 이동한 면을 그려 전개도를 완성하시오.

**3**

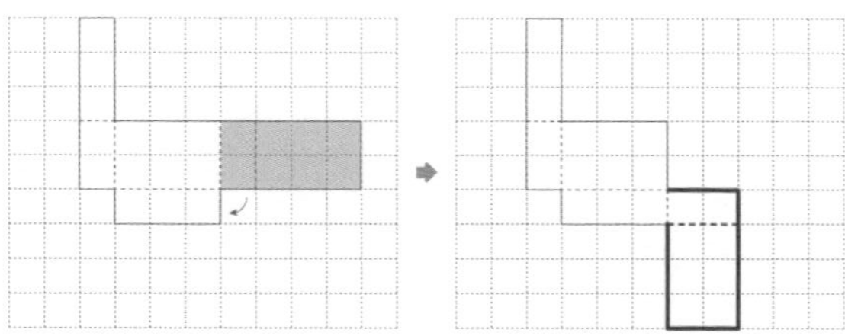

✚ 전개도를 접었을 때 만들어지는 직육면체에 ◯표 하시오.

**4**

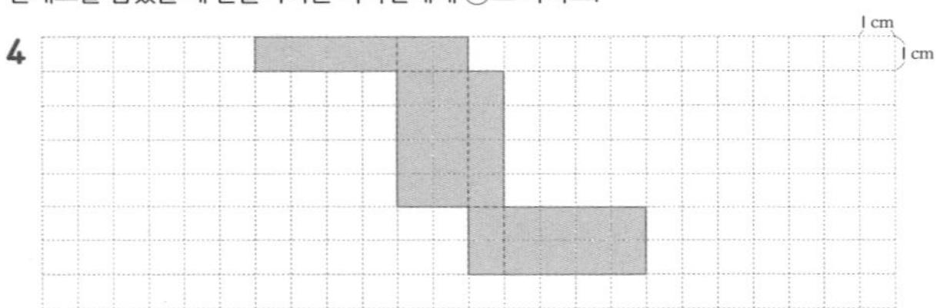


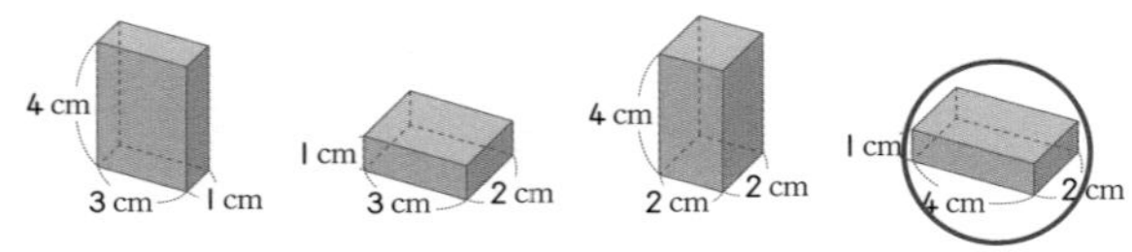


✚ 전개도의 면에 선을 그었습니다. 이 전개도로 만들어지는 직육면체에 ◯표 하시오.

**5**

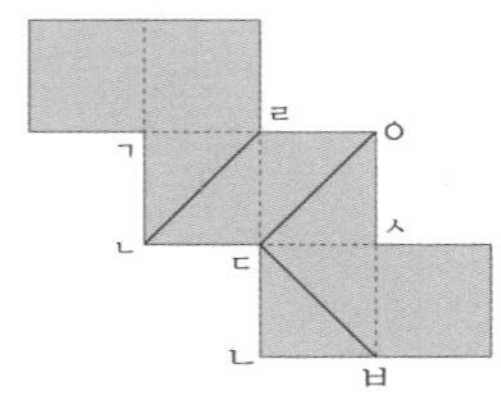


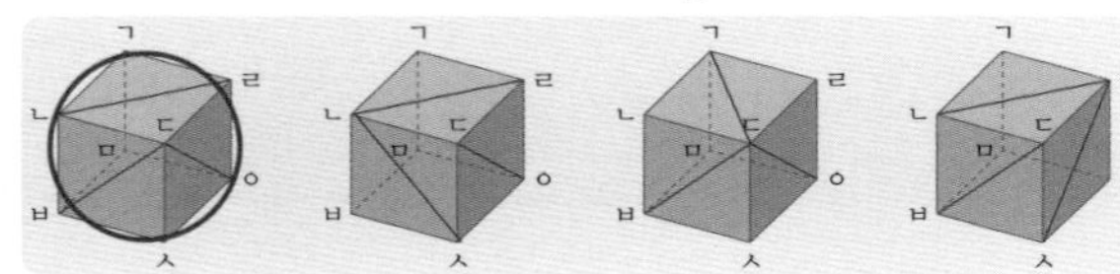

Memo

Memo

“Let no one untrained in geometry enter.”

“기하학을 모르는 자, 이 문을 들어오지 말라.”